LIBERAL ARTS

山口周
SHU YAMAGUCHI

自由になるための技術

リベラルアーツ

講談社

はじめに

大きく時代が変化するいま、自らの知的感度を高め、知識をアップデートしていくことは欠かせません。だからといって、この情報過多の時代、目先のトレンドや対処法、ハウツーばかりに目を奪われてしまい、いつまでも振り回されてばかり。そんな焦りにも似た気持ちを抱えている人も多いのではないでしょうか。

そのうえ、リーダーの立場になると、さまざまな情報を取捨選択しながら決断する場面の連続です。それなのに、その基盤となる肝心な「足元」は常に危うく、すぐに築けるものでもありません。

そんな中、再び注目を集めているのが、「リベラルアーツ」です。日本語では「教養」と訳されることが多いのですが、本来意味するところは「〝自由〟になるための〝手段〟」に他なりません。己を縛り付ける固定観念や常識から解き放たれ、〝自らに由《よ》って〟考えながら、すなわち、自分自身の価値基準を持って動いていかなければ、新しい時代の価値は創り出せない。そんな時代を私たちは生きています。

本書では、哲学、歴史、宗教、美術等の「知の達人」たちとともに、人類に蓄積された知を現代に照らし合わせて再考し、多様な視点を身につけるヒントを提示したいと思います。

How から What へ——。

本書を通じて、自ら考えて行動するための気づきや糧を一緒に蓄えていきたいと思います。

自由になるための技術　リベラルアーツ

目次

第2章 43

歴史と感性

対談 中西輝政

第3章

「論理的に考える力」が問われる時代に

対談 出口治明

第6章 組織の不条理を超えるために

対談 菊澤研宗

第7章

ポストコロナ社会における普遍的な価値とは

対談 矢野和男

第8章 239

パンデミック後に訪れるもの

対談 ヤマザキマリ

終章 267

「武器」としてのリベラルアーツ

自由になるための技術　リベラルアーツ

本書のベースになった対談は、２０１９年３月～２０２０年７月、日立Webマガジン「Executive Foresight Online」上で、「山口周の『経営の足元を築くリベラルアーツ』」として、掲載されたものです。
本書は右記連載に大幅加筆、書き下ろしも加えて構成したものです。

対談構成：関 亜希子
写真：山田勝巳（第２章～第６章）
藤牧 晋（第７章）
片山貴博（第８章）

第1章

リベラルアーツはなぜ必要なのか

〝美意識〟というキーワード

私は以前から、自分の考えを残すためにデジタルメモを活用していて、何か心が動いたことがあると、メモに取りクラウドコンピューターの中に残すようにしています。執筆するときは、それらの断片を再構成するのです。本を書く人には作曲家と同様に、思いつたままに作曲を進める「モーツァルト型」、五線紙をいつも持ち歩いて、メロディーが思い浮かんだら少しずつメモをし、あとで構成しながら作曲していく「ベートーベン型」の二種類のタイプがいるのですが、私は明らかに後者ということになります。

そのクラウド内のメモで「美意識」というワードが出てきたのは、二〇一五年くらいのことです。

「これから社会で活躍する人には、美意識が必要とされるのではないか？」

その後出した本（『世界のエリートはなぜ「美意識」を鍛えるのか？　経営における「アート」と「サイエンス」』光文社新書、二〇一七年）の骨子も、そのメモには全部書いてありました。

それでは、どうして美意識について考えるようになったかというと、二つ理由があります。

一つはエシックス（ethics）、倫理の問題です。当時、世の中にみっともないビジネスが、非常に多くなってきていると強く感じていました。

前著にも書きましたが、コンプリートガチャ[*1]など、単に儲かればよいというようなビジネスモデルが横行し、世の中や社会が豊かになるような商品・サービスが、富と必ずしも結びついていない。世の中の営みをまるでゲームみたいに取り扱い、いかに効率よくお金を吸い上げるか、いかに楽をして年収を上げられるか、そんなことばかりに注目が集まりマスコミもはやし立てていました。若者ですら、そんな大人に憧れていた。この状況は、何か根本的におかしいのではないかと思ったのです。

私は、丸の内にある大書店、丸善丸の内本店の一階売り場がどうも苦手でした。入ってすぐの通路には最新のビジネス書が、ギラギラした宣伝文句とともにびっしりと連ねられている。何か、首根っこを摑まれて強引に勧誘される、そんな息苦しさをいつも感じていました。少し前まで、「私のマネをして年収一〇倍になれ！」といった、非常に視座の低い本ばかりがベストセラーランキングの上位を占めて平積みにされていました。丸善丸の内本店といえば、おそらく日本でいちばん学歴の高い人たちが集まる店と言ってもいいでしょう。これはもう民族としての節度が失われているのではないか。怒りというか、非常にエモーショナルに反応したことを覚えています。

美意識を考えるきっかけとなったもう一つの理由はクリエイティビティ（creativity）、すなわち創造性と強さの問題です。

資本主義の経済ですから、日々膨大な商品とサービスが生み出されていくわけですが、こんなにモノが溢れているのに、自分が欲しいと思えるモノが少ないのはなぜかと疑問に思っていました。

例えば、スマートフォンが普及する前の日本の携帯電話。各メーカーが独自に開発しているはずなのに、なぜか横並びのデザインでした。二〇〇八年に、新参者のアップルが、まったく新しい発想でつくられた iPhone を引っ提げ日本の携帯電話市場に参入してからは、日本のメーカー各社は、驚くほどあっけなく敗れ、多くは市場からの撤退を余儀なくされた。

では日本の携帯電話はどのようにしてつくられていたのか。じつは莫大な費用を投じてコンサルティング会社に調査を依頼し、つくられていたのです。コンサルティング会社は、メーカーの依頼通り、「正しく」消費者調査を設計、実施し、結果を分析する。そして、調査結果という科学的、数値的な裏付けのもとに、「正しく」て「強い」商品をつくったつもりでいたのです。

しかし、iPhone のように感覚的、直感的に「カッコいい」と感じる商品が出てきた途端、足をすくわれるように負けてしまった。各社がサイエンスに基づいて「正しい」と信じて開発してきたものは、どの会社にとっても「正しい」わけで、それは差別化にはつながらない。「正しさ」はもう「強さ」にはならない。それが白日の下に晒《さら》されたわけです。

私は当時、戦略コンサルタントの仕事をしていました。データ分析に基づいたロジックで戦略をつくるといった、まさにサイエンスを拠り所とした仕事で、「正しさ」に基づいて強い事業がつくれるんだと、ドグマのように信じて仕事をしていたわけです。でもふと立ち止まり、世の中を見たときに、「正しさは、もうコモディティだ」と思ったのです。正しさだけだと、もはや当たり前のこと、誰が考えても同じ結論になることしか提案できないと気づいたのです。

私はその後、戦略コンサルタントの仕事を離れたのですが、日本では戦略コンサルタント仕込みのロジカルシンキングという、欧米ではすでに古くなりつつあった手法に追従する企業が続きました。その先には蜃気楼《しんきろう》しかない、もはや落ちていくだけなのにという、何とも言えない気持ちでいました。

VUCAの時代[*2]と言われるいまでも、多くの企業がコンサルティング会社や広告代理店に巨額の費用を支払って、「何年先にどうなるのか?」という未来予測を依頼しています。はっきり言ってそんな発想が時代遅れなのです。未来を他人に聞くのではなく、「あなたは、一体どうしたいのですか?」と、そろそろ問いそのものを変えなければならない時期に来ているのだと思います。

エシックスの問題にせよ、クリエイティビティの問題にせよ、元をただしてみれば、ある種のみっともなさに対する自覚というか、「美意識」が欠けているのではないかと考えたのが大きなきっかけでした。

『世界のエリートはなぜ「美意識」を鍛えるのか?』では、こうした問題意識をもとに、複雑で不安定な現代社会では、「分析」「論理」「理性」といった、これまで絶対視されてきたサイエンス重視の意思決定や方法論が限界にきていることを述べ、このような時代には、経営の判断にも、自らの「真」「善」「美」の感覚、すなわち「美意識」を鍛え、拠り所としていくことこそが重要だと訴えました。同書が幸いにも多くの読者に受け入れられたのは、私と同じような問題意識を持っている人が多かったからでしょう。

の課金システムで、ランダムに入手できるアイテムのうち、特定の組み合わせの複数のアイテムをすべてそろえる（コンプリートする）ことで稀少アイテムが獲得できる。結果的に多額の料金を請求される利用者が多く、消費者庁は二〇一二年、この仕組みが景品表示法違反になるとの見解を示し、ゲーム配信元各社はコンプリートガチャを終了することを発表。

2　VUCA　Volatility＝不安定、Uncertainty＝不確実、Complexity＝複雑、Ambiguity＝曖昧、今日の世界の状況を表す四つの単語の頭文字を合わせたもの。

「行き過ぎ」に対する世界的な潮流

美意識に限らず、人の感性に訴えるものが重要視されてきているというのは、近年の世界的な潮流です。

例えばアメリカでは、二〇〇八年のリーマンショック以降、マインドフルネス*3が一種のムーブメントになっています。シリコンバレーでは、トレーニングとして取り入れていない会社はないほど普及しています。マインドフルネスとは、「いまという瞬間に意識を向けるもの」で、言うなれば外部ではなく、自分の内部に目を向けていくための手法です。自分が何に価値を置いているかを認識することは、創造性の源にもつながっているのではないでしょうか。

世の中は、何かが過剰になり何かが稀少になると、なんとかバランスをとろうとする動きが常に生まれるものだと思います。例えば、一九七〇年代前後のヒッピームーブメントや『ホール・アース・カタログ』[*4]なども、五〇年代の行き過ぎた物質主義や享楽主義への一種の反動といえるでしょう。

いまのアメリカで、マインドフルネスがこれだけ浸透しているのも、リーマンショックに代表されるような、行き過ぎた金融資本主義に対する違和感から来ているのではないかと思います。

アメリカの例のように、行き過ぎたサイエンスやエコノミーといった価値基準に対し、反対のベクトルへとバランスを取ろうとする動きは世界的な潮流にあると感じています。ハーバードやスタンフォードなど、アメリカの大学では、学部ではリベラルアーツ系の講義を中心に据えていることが多いのですが、二〇〇〇年代の終わり頃からは、さらにそれを増やす方向へと大きく舵を切っているそうです。実学は大学院で学ぶものなのです。

また、グローバル企業の多くが幹部候補生をＭＢＡ（経営学修士）ではなく美術系大学院へと送り込んでいること、アート系人材を次々と招聘《しょうへい》していることなども、そんな最先端の潮流を物語っていると言えるでしょう。

3　マインドフルネス　自らの「いまここ」に意識を集中する心の動き。その心の動きを促す訓練法として瞑想法などがある。

4　ホール・アース・カタログ　一九六八年に作家のスチュアート・ブランドによって創刊されたヒッピー向けの雑誌。スティーブ・ジョブズがスタンフォード大学の卒業式のスピーチで語ったことで有名な「Stay hungry. Stay foolish.」は同誌最終号の裏表紙に記載された言葉。

OSとしてのリベラルアーツ

私は、このような時代にわれわれにとって必要なもの、それが本書でのテーマでもあるリベラルアーツだと考えています。では本書でいうリベラルアーツとはどのようなものでしょうか？

教養または教養主義は昔からずっとあったわけですが、いま求められているリベラルアーツとは、コンピューターでいえばＯＳ——私たちの行動や判断を司《つかさど》るソフトウェア——のような根本思想なのです。対して、ロジカルシンキングやマーケティングの知識といったものは、アプリ——状況に応じて使い分ける道具——であり、従来言われていた教養もまた一種の道具としてのものが多かったと思います。

もちろん道具は道具で大切なのですが、どの場面で何を使うかというのはOSの判断です。ですから自らの足元をより確かなものにするためにはOSが重要となる。古今東西の、幅広い教養・知識を備えて、例えばワインや絵画などについて語れるようになれば、飲み会の話題としては役立つでしょうが、本当に大事な判断をする力や勇気を持って行動する原動力にはなりません。

先日、野田智義さん(特定非営利活動法人アイ・エス・エル創設者)とも、同じテーマについて意見を交わしました。いま、なぜリベラルアーツが重要か——、野田さんの答えは「人間を理解するための知恵を与えてくれるから」というものでした。不確かな現代を生き抜くうえでは、人間というものをより深く理解することこそが「最重要のスキル」だということで、たいへん腑に落ちるものだと思いました。

私たち人間は、誰しも他人を理解したいと願う生き物です。この人はどういう人だろう? どんなことを考えていて、どういう行動をする人だろう? それは単に知識として知りたいわけじゃなくて、人間として理解したいと思うものです。しかし、それらは出身地や学歴、属性などの客観的なデータだけから得られるものではありません。一人ひとりの「人となり」がいちばんよくわかるのは、その人は何がものすごく好きなのか、何に特別なこだわりを持っているのか、何にいちばん時間をかけてきたのか、あるいは逆に何がものすごく嫌いなのか、何にいちばん腹を立てたのか。そうした喜怒哀楽、つまりその人の心・感情が強く動かされる部分だと思います。

一七世紀の哲学者スピノザは、人間の本質を最も指し示すものとして、「コナトゥス」という言葉を用いました。もともとは古代ギリシャ哲学に由来する概念ですが、自分が自分であろうとする力、モメンタム（推進力）といった意味です。

今日の私たちはビジネスでもプライベートでも多くの人たちと出会うわけですが、誰もが他人との関わり合いをお互いに心地よくコントロールできれば、と思っています。そこで最高の〝武器〟になるのが、「他人のコナトゥスを的確に理解する」ということです。相手の人間の本質に関わる部分がわかれば、その人物像が立体的に感じ取れて、場面ごとに相手がどう感じ、何を考え、どんな反応を示すのかということが読めるようになる。いわば、パースペクティブ（見通し）を持って人間を深く理解できるようになるのです。

そう考えれば、今日の私たちが享受できるリベラルアーツとは、人間が何を愛好し、何に深く感銘を受けてきたかという「人類のコナトゥス」の膨大なリストなのだということに気がつきます。

人々が深く心を動かされ、長く広く共鳴を受け続けてきたものが、絵画、音楽、文学、哲学といったコンテンツとして残されてきたわけです。そうした積み重ねから成る歴史は、過去の人間たちが何を欲し、どう行動し、その結果に対してどう反応してきたかという記録にほかなりません。

リベラルアーツを学ぶということは、一見遠回りに見えますが、人間というものの普遍的な本性について皮膚感覚で知るとともに、人間理解を深める最も効率的なルートだといえます。

今日のように変化のスピードが速まり未来が不確定になってくると、ルールが世の中の変化に対して後追いになってしまうという事態が頻発します。特にＡＩ（人工知能）やバイオテクノロジーなどの最先端分野では、法律や制度などの社会ルールが整備されないまま、テクノロジーだけが進んでしまう状況が危惧されます。今後の展開次第では、人類にとって取り返しのつかないことだって起こりうる。

このようにまったく未知のテクノロジーが登場し、社会の中で本格的に実装されたとき、一体何が起こるのか、果たして倫理的に許容されるのか、そういった広いパースペクティブが強く求められる局面で、縁《よすが》となるのは結局、リベラルアーツしかない。人間の行動と反応の歴史に蓄積された人類のコナトゥスをもって対処していくよりほかに術がないと思います。

人間の奥深さを知るということ

例えば、「もののあはれ」という言葉があります。本居宣長が源氏物語を読んでそこに通底する感覚を指し示したひと言で、あっさりと言い表せるものではありませんが、人間という存在の計り知れない本性に思いをはせることで初めて体感できる深い知恵であり、現代にも共有できるものだと思います。

少し飛躍するように聞こえるかもしれませんが、イギリスは、そうした人間の奥深さを非常に理解している国だと思います。他者との関わりの中でどうすることが最も得策なのかというリアリズムを皮膚感覚として持ち合わせています。それは欧州列強の戦いを勝ち抜き、七つの海を支配しながら、世界中で多くの植民地を統治してきたからこそ身につけたものなのでしょう。

イギリスは一八一四年、ナポレオン戦争勝利後の戦後処理を決めるウィーン会議において、ナポレオンが占領した欧州各国にあった領地を「民族自決」という大義の下、各国に返還するという英断を下しました。各国の代表が驚いたのはもちろん、敗れてセントヘレナ島に流されたナポレオン本人も「イギリスは交渉下手だ」と記しているのですが、当のイギリスは自国の外交史で「極めてクレバーな選択だった」と自賛しています。

イギリスは各国が覇権を競っていた帝国主義の当時、自国だけで欧州全土を支配するという考えが持続可能な未来ではないとわかっていたのです。そして各国が領土を取り戻し、それぞれの力が均衡した微妙なパワーバランスを保つことこそが相互に共存し、自国が繁栄する道だと見抜いていたわけです。一九世紀から二〇世紀にかけての「パクス・ブリタニカ」と呼ばれる最盛期は、そのような賢明なリアリズムがあって初めて実現したものでした。

そのリアリズムは欧米文化の底流に受け継がれていて、例えば、著名な経営学者のマイケル・E・ポーターの競争戦略論でも、自社が市場を独占するのではなく、良きライバルである他社と競り合う緊張状態で共存することが持続可能な成長をもたらす条件だと説かれています。これは近代の欧米に限った話ではなく、歴史を紐解けば、二〇〇〇年近くも前に諸葛孔明が言った「天下三分の計」にも通じる考え方でしょう。

私たちは自社のシェアが高ければ高いほど良いものだと思い込みがちです。特に変化の激しい時代には、一つのモノサシを当てて短兵急に物事を判断し、行動したくなるものですが、そんなときだからこそ、落ち着いて別の角度からも複眼的に物事を見るリテラシー、皮膚感覚の知恵というものが求められてくるのだと思います。

もともと日本人のモノサシは一つではない

これに対し、いまの日本はどうでしょうか？

日本はもともと複数のモノサシを当てるということを平気でやってきた国・民族です。その典型的な例が、山本七平さんの『私の中の日本軍』の中にあります。戦時下の捕虜収容所で、米軍が日本兵の捕虜を集めてダーウィンの進化論を教えようとする。しかし日本兵の多くはすでに進化論を知っていて、それに米兵が非常に驚いたというのです。日本人は天皇を「現人神《あらひとがみ》」として信じて崇めているという。ならば、人間が類人猿から進化したものとする進化論を知らないのだろうとアメリカ人は考えるわけです。ところが当の日本人は進化論を受け入れながら、それと矛盾するはずの現人神も受け入れる。要は「それはそれ、これはこれ」、まさにデュアルスタンダードなのです。

日本語という言葉もそうです。漢字も使うし、ひらがなも使う、外来語にはカタカナを当てて、さらに漢字の訓読みと音読みまである。そんな複数の用い方が乱立していても日本人は至って平気です。

私が子どもの頃、日本船舶振興会のテレビCMがよくお茶の間で流れていましたが、出演者たちは「世界は一家、人類皆兄弟、一日一善」と歌ったその後、「戸締り用心、火の用心」と続けざまに歌っていました。人類皆兄弟だったら、戸締りはいらないわけで、そんな矛盾がまったく気にならない。

米軍の話でもそうですが、一神教文化の中で育った人たちはそうした矛盾が気になってしまう。例えばキリスト教では、すべて神がトップダウンで定めた聖書が絶対の基準なので、その内容に照らし合わせて、正しいか正しくないか、善いか悪いかを演繹的に判断する思考が常に働きます。

これに対し、日本人はそもそもトップダウンの「トップ」がないので、「あれも大事」「これも大事」、モノサシを一つに絞らず、いろいろなモノサシが同時に働く。一見曖昧にも見えますが、だからこそ「こっちはうまくいっている」「でも、あっちがまずくなっている」と感覚的に調整しながら、全体として良い状態を保つことができたのです。

ところが明治維新以降は、西欧に倣ってすべてを一つのモノサシで測ろうと努力してきた。でも無理に一つのモノサシで束ねようとすると、しばしばカタストロフが生じます。ファシズムやスターリニズムはその極端な例ですが、GDP（国内総生産）にせよ、企業の財務指標にせよ、そうした量的な尺度に合わせようとすることでたいへん苦労しているという状況はいまも変わりません。

逆行する日本とアメリカ

じつはアメリカは、近代日本とは反対に、複数のモノサシを持とうと努めてきたのです。アメリカはトップダウン型の一神教文化をベースにしながら、多民族国家でもあります。多様なバックグラウンドを持つ人たちが集団で行動するためには、共通の指標を単純化・画一化する必要がありました。その一方で多様性を尊重するという面を持ち続けていて、例えば、ロバート・ケネディ（ジョン・F・ケネディ米大統領の実弟、上院議員）は凶弾に倒れた年の有名な演説で次のように訴えました。

「アメリカのGNP（国民総生産）は八〇〇〇億ドルを超えた。しかしその中には、ライフルや装甲車など兵器をつくる費用や、子どもに暴力を教えるようなテレビ広告の費用が含まれている。一方で、詩をつくること、家族の絆、子どもたちの遊ぶ喜びなどは入っていない。こんなもので果たして国の健全性を測れるのかは考えなければならない」

一九六八年の演説ですから、いまから半世紀以上前のことです。これがアメリカの底力でしょう。多様な考え方や開かれた議論の文化があって、そこから強いオピニオンも生まれてくる。それがアメリカがいまもなお、世界トップの国であり続ける最大の理由だと言えるのではないでしょうか。

企業経営の側面では、一九九〇年代初頭にハーバード・ビジネス・スクールのロバート・S・キャプランとコンサルタントのデビッド・P・ノートンが「バランスト・スコアカード」という業績評価システムを発案しました。収益の最大化という単一のモノサシだけで企業価値を測っていては、中長期的成長や社会への貢献など、より本質的な価値が見落とされてしまうとの危惧から、量的な財務指標に加え、「内部（社内プロセス）・外部（顧客）・中長期（学習と成長）」という三つの指標を取り入れようとしたものでした。

じつは日本企業の多くは、一九八〇年代までは、このような考え方を暗黙知で実践していて、それが強い国際競争力の源泉にもなっていた。アメリカはそんな日本の強さを徹底的に研究し、形式知として取り入れていったのです。反対に日本企業は国際競争力に陰りが見え、収益率が悪化するようになると、すでにアメリカが脱しようとしていた単一的で量的なモノサシですべてを判断するように変質していきました。

アメリカには多様性や議論の文化があったように、日本人には単一民族でありながら、道徳や信頼を重んじる価値観、複数のモノサシを当てて考えるバランス感覚がありましたが、劣位戦を強いられるとあっさりとそれを手放してしまったのです。その結果が株主資本主義であり、「物事は複雑にしないほうがいい」といった極端なシングルスタンダードの考え方でした。こういった事態が、日本人の美意識の欠如にもつながっているのではないでしょうか。

しかし、世界に先駆けて人口減少時代に突入したいま、かつての経済成長期のように量的な単一のモノサシだけでは、社会のこれからの姿や一人ひとりに固有のＱＯＬ（Quality of Life）を測れなくなっています。経済指標を無視することはできませんが、私たちが単一のモノサシに囚われていることを自覚し、いま一度人間の本質を鑑みながら、「次のモノサシ」を見つけることが必要になっていると思います。

コナトゥスの発揮こそ、次代を切り開くカギ

一つのモノサシだけで判断を下すという不得意なことをし続けた結果、窒息状態にあるといえるいまの日本にとって、個人のコナトゥスを発揮することが、一つの手掛かりになると思っています。

現実的には、国家という大きな単位で政策を論じるうえでは、質的なものもある程度、数値化し、量的なモノサシを当てていくことも必要です。しかし、民間企業、企業の中の部署、家族、個人の生き方というように、個人の裁量を発揮できる身近な単位において

も、量的なモノサシが幅を利かせているところに、今日の閉塞感や生きづらさが生まれているのであり、ひいては生産性の低さや競争力の弱さにもつながっているように思われます。

年収、偏差値、職業、居住エリア、子どもが通う学校に至るまで、あらゆるものに単一の量的なモノサシを当てて、自分や家族の人生までをも画一的に評価する。その結果、数値化することのできない一人ひとりのコナトゥス、自分が自分らしくいられることや、自分の心が生き生きと躍動する感覚など、最も大切な価値が人生の中で置き去りにされてしまうことも起こりかねないのです。

私自身もかつて身を置いていたコンサルティング業界には、いまでも量的なモノサシだけで周囲と競い合い、そのような消耗戦から抜け出せずに、苦しみながら働き続けている人は多くいます。本来であれば、他人と比較できる量的な指標とともに、一人ひとりに固有のコナトゥスという質的な指標も持ちながら、バランス良く自らの人生をマネージしていくことが、成熟した人間の〝知性〟だと思うのです。

コナトゥスが活性化し、自分が自分らしく心が躍動する場所に身を置くと、その人はものすごく能力を発揮します。決して個人的な気分だけに関わるものではありません。一人ひとりのコナトゥスが活性化すると、やる気やモチベーションが湧き、創意も発揮できるので個人の生産性は上がります。そういう人たちが多く集まる会社もまた、生産性が上がるということなのです。逆についても同じことが言え、多くの人がコナトゥスの働かない職場で働いていることが、社会全体の生産性を落としているということでもあるのです。

かねてから日本は、欧米先進国と比べて、仕事を通して生み出される価値そのものが低いと指摘されてきましたが、この問題を克服するためにも一人ひとりのコナトゥスが生かされているかどうかが大きなカギになってくると思います。

コナトゥスと仕事をシンクロさせる

自らのコナトゥスに従って成功した日本人として挙げられるのが、阪急電鉄の事実上の創設者、小林一三《いちぞう》です。私が経営者の中でいちばん尊敬する人でもあります。

彼は一八九二年に慶應義塾を卒業して三井銀行に入ります。明治時代中期でも典型的なエリートコースでしたが、仕事はそこそこに趣味や道楽に明け暮れていて、会社からは冷遇されていました。

小林一三は三四歳の頃、そんな境遇に見切りをつけ、現在の阪急電鉄の前身、当時はまだローカル線のベンチャーだった箕面《みのお》鉄道（箕面有馬電気軌道）に転職します。彼はそこで私鉄のあらゆるビジネスモデルをつくり上げました。路線の先にベッドタウンを造成したり、誰もが家を買えるようにと住宅ローンの仕組みをつくったり、日曜日にも電車に乗ってもらうため駅の上にデパートをつくったり――、宝塚歌劇団を創設したのも彼です。閑散期のお盆に全国から乗客を集めるために、甲子園の高校野球大会まで企画しました。同じ人間が、仕事を変えただけで、銀行員時代からは信じられないような創意を発揮したのです。

これは小林一三が、世間一般で良いとされるような、外側から与えられた尺度ではなく、自分自身のコナトゥスに従って、自分の心が動くような仕事に取り組んでいった結果だと思うのです。

現代は、自分のコナトゥスを発揮することがそのままグローバルな競争力に直結する時代でもあります。

例えば広島のマルニ木工さんは、月産五〇個ほどの、地方の小さな家具屋だったのですが、そこでつくられた椅子がいまでは何とアップルの本社オフィスで採用され、何千脚という単位で納入されています。じつは少し前までは会社存亡の危機に直面していたのですが、社長さんが、会社がつぶれる前に自分自身が本当に理想とする「日本発の世界定番の椅子」をつくりたいと、世界的に著名なデザイナーの深澤直人さんとタッグを組んで、その理想を実現させたのです。それがアップルのデザイナー（当時）、ジョナサン・アイブの目にとまって先の納入へとつながりました。

このエピソードもまた、自分の心が動かされるものと仕事をシンクロさせることが、非常に大きな競争力を生み出すことをよく物語っています。一方で、マルニ木工にその座を奪われたアメリカ現地のオフィス家具メーカーが存在していたことも事実です。自分の心が動かされない、コナトゥスの動かない状態で働いている個人や組織が、相対的に競争力を失っているということでもあるのです。

私は、いまここで大胆に発想を転換できたら、社会が大きく変わるのではと考えています。外側から与えられるモノサシに囚われずに、たとえ知らない会社でも、自分にとってすごくワクワクする仕事ができそうな会社を探して社会全体で大移動を始めるのです。すると、大数の法則[*5]が働き、より自分が活躍できる場所にいる人が多くなる。結果として職場や社会全体の生産性まで上がっていき、イノベーションだって起きてくると思うのです。そうしたら、個人も組織もとても強くて幸せな世の中になるのではないでしょうか。

5 大数の法則 確率論・統計学における基本定理の一つ。数多くの試行を重ねることにより事象の出現回数が理論上の値に近づくということ。極限定理とも呼ばれる。

リベラルアーツは常識の正体を見破る

自らのコナトゥスを発動させるためには、自分がいま、どんな常識やシステムに囚われているのか、それを見極めることが大切になります。

そのためには、物事を相対化させ、複眼的に見ることが重要ですが、そこで非常に有効なのがリベラルアーツです。

今日、私たちが当たり前の常識だと思っているものでも、歴史的に見てみれば、必ずしもそうではないものがたくさんあります。例えば、低金利は異常だという考え方もその一つです。人類史では、むしろ低金利の時代のほうが長く、社会としても多くの利点がありました。

自分たちがいま、常識と考えているものが、一種の自然淘汰として落ち着いた結果のものなのか、それとも効率性や省力性を追求した結果、不自然ながらまかり通っているものなのか。リベラルアーツは私たちを取り囲む常識の正体を見抜く感度を養ってくれるものです。

先の例でいえば、すべてに量的なモノサシを当てて判断することや、株主資本主義などの極端なシングルスタンダード指向などは、日本において当然の帰結として定着した常識ではありません。むしろ本来的には馴染まないものです。

しかし、そのことを見抜けなければ、いつまで経っても翻弄されるだけで、自らのコナトゥスを発揮することもできないでしょう。さらには大きなチャンスを見逃してしまうことにもなりかねない。じつは不自然にまかり通っている常識（＝非常識）の中にこそ、イノベーションの種が存在していて、それを超えるようなオルタナティブを提案できれば、多くの人から共感を得て世の中を大きく変えることができるかもしれないからです。

近代文明のあり方を否定して新しい国・社会を築こうとしたキューバの革命家チェ・ゲバラが生涯を通して読んでいたのが、現代の法学者や憲法学者が書いた本ではなく、ギリシャ時代に書かれた古典だったことも示唆的です。長い淘汰に耐えてきた知、あえて自分からは遠く離れた古典を読んで現代を相対化する視点は、未来が見えない現代だからこそ、これからの社会像を模索するためにも、さまざまな意味で〝役立つ武器〟となるでしょう。

リーダーにこそ必要なリベラルアーツ

イギリスという国が養ってきた深い人間理解と、皮膚感覚の知恵は、卑近な言葉で言えば、「コモンセンス」ということになるでしょう。経営リーダーにとって、重要な判断の縁になるコモンセンスを養うという意味でもリベラルアーツは重要です。

数理モデルなどを用いて解析的に解ける問題は、せいぜい部長クラスまでで解決するものであり、経営層には簡単に解など出ない、難しい問題ばかりが次々に上がってくるはずです。経営リーダーにはそもそもその問題が解析的に解けるのかどうかを判断するセンスが不可欠ですし、解析的に解けない問題に対しては、自分に蓄積された知の中から判断するほかありません。その縁になるのが「人間というものの本質を鑑みれば、こうなるはずだ」という深い意味でのコモンセンスなのです。

もう一つ現代の経営リーダーにとって重要な役割が、「質的な意味を与える」ということです。そのためには自分の中に広い世界観を持つことが重要で、そういった意味でもリベラルアーツは有効です。自分のコナトゥスを発揮させることと同様、仕事に確かな意味を感じて働く個人や組織は大きな競争力を持つものです。

例えば、格安航空会社のピーチ・アビエーションは、井上慎一社長（当時）自らが会社の存在意義を「戦争を無くすため」だと言っています。過去の不幸な戦争は、互いに国を行き来していないから、互いをよく知らないから起こってしまった。未来を担う若者に多くの国に行って文化を体験してもらうことが最高の教育である。そのためには運賃を下げなければいけないし、たくさんの路線も敷かないといけない。それにはまず安定的な経営基盤を確保する必要があるから「コストが大事」と訴えるのです。やっていることは他の格安航空会社と同じですが、質的な意味が与えられていることによってそれが社員の原動力となり、同社の強さにもつながっているのです。

質的な意味を設定するためには、より大きな価値の連鎖として、いま自分たちがやっている仕事が「世の中」のどういう意味につながっているのか、そこにどうやったら貢献できるのか、自分の中に広い世界観を持ち、高い視座から考えていくことが必要です。

さらに現代社会では「共感」も一つのキーワードになっていますから、相手の思考の枠組みを捉えるという意味でも、自分の中に広い世界観を持つことはますます重要になっていくといえるでしょう。

もっとも、ひと言でリベラルアーツと言っても、汲めども尽きぬ深さと広さを持っています。それがおもしろさでもあるのですが、その広大さに途方に暮れてしまう人もいるのではないでしょうか。

そこで本書では、哲学、歴史、宗教、美術など各分野の「知の達人」を迎え、リベラルアーツ実践の手掛かりを共に探っていきたいと思います。

第2章

歴史と感性

対談 中西輝政

中西 輝政（なかにし てるまさ）

1947年大阪生まれ。京都大学法学部卒業、同大学大学院修士課程（国際政治学専攻）、英国ケンブリッジ大学歴史学部大学院（国際関係史専攻）修了。京都大学法学部助手、ケンブリッジ大学客員研究員、米国スタンフォード大学客員研究員、静岡県立大学国際関係学部教授、京都大学大学院・人間環境学研究科教授などを経て、2012年京都大学名誉教授。

1989年佐伯賞、1990年石橋湛山賞、1997年毎日出版文化賞、山本七平賞、2003年正論大賞、2005年文藝春秋読者賞などを受賞。

主な著書は、『大英帝国衰亡史』（PHP研究所）、『国民の文明史』（扶桑社）、『本質を見抜く「考え方」』（サンマーク出版）、『日本人として知っておきたい「世界激変」の行方』（PHP新書）、『アメリカ外交の魂』（文春学藝ライブラリー）、『帝国としての中国（新版）』（東洋経済新報社）、『日本人として知っておきたい世界史の教訓』（育鵬社）他多数。

最初のゲストは、国際政治学、国際関係史研究の第一人者として知られる、中西輝政・京都大学名誉教授。京都の中西教授の自宅に伺った。

自身の留学経験や外交史研究を通じ、イギリスにおけるリベラルアーツ教育の奥深さを知ったという中西氏。翻って考える日本の現状とこれからの指針、さらには歴史の愉しみ方まで、語っていただいた。

経済的成熟から人間的成熟へ

山口 本日はご自宅までお邪魔しまして恐縮です。素敵なお宅ですね。

中西 いえいえ、眺めの良さだけが取り柄です。

山口 私は先生の『大英帝国衰亡史』や『本質を見抜く「考え方」』からずいぶん多くのことを学んできました。じつは、『本質を見抜く「考え方」』は私が以前身を置いていたコンサルタント業界では必読書といわれているのです。私もコンサルタントになるとき、「まずこれを読みなさい」と、先輩から渡されました。

中西 そうですか。そんなに読んでいただいているというのは初耳です。たいへん光栄なことです。

山口　本書では「リベラルアーツの復権」を大きなテーマとしておりまして、先生には国際政治学や国際関係史などのご専門の観点から、リベラルアーツの本質を見抜くお話をいただければと思います。

いま、私たちが生きる二一世紀の初頭は、歴史の大きな転換点にあると思います。国内外で起きているさまざまな事象を見ていると、一六世紀からずっと続いてきた近代という時代が、本当の意味で終わりを迎えるのではないかと感じています。

特に日本ではこの二〇年、ＧＤＰがほぼ横ばいで推移してきたことが示すように、科学や技術によって社会を便利に、高度にしてきた営みが一定のレベルまで達し、「成熟」の域に入ったことは明らかです。先生がご著書で指摘されている通り、日本における社会の成熟はヨーロッパのそれとは異なるとは思いますが、この成熟の先をどうするのか、次の時代をどう切り開いていくのかを考えるべきときにあります。

そうした時代だからこそ、社会において大きな責任を担う、いわゆるエリートと呼ばれる人たちが、歴史をはじめとするリベラルアーツを学ぶことの意義を再認識し始めていると思うのですが、先生のご意見をお聞かせください。

中西　まずリベラルアーツという言葉の意味について、私の考えをお話しします。英語の「liberal」は縛りがない、つまり「自由」という意味を含む言葉ですね。その反対の意味の言葉は「disciplinary」ではないかと思います。「規律」「訓練」「体系化された学問」といった意味を含む言葉です。

そう考えるとリベラルアーツとは、A＝B、B＝C、ゆえにA＝Cというように乾いた理論で体系的に積み上げていく学問ではカバーしきれない領域を担うものと言えるのではないでしょうか。しかも「arts」ですから、学問というより、山口さんも説かれているように、心が躍動する感覚というような意味を持つ言葉なのだと思います。

そのリベラルアーツがいま注目されているのは、おっしゃるように近代が終わろうとしていることと深く関わるでしょう。近代というのは、成熟に一方的に向かうというドライブだけでできあがっていった時代です。それが、めざしていた成熟に到達し、次はそれをいかに洗練させていくか。すなわち、これまでの一本調子の成長の過程で取り残されてきた部分にも目を向けながら、経済やテクノロジーの成長だけでなく、人間的に成熟した状態をめざす段階に入っているのです。

ですからこれからは、世界の、特に日本の社会の先頭に立つ人たちが、人間的に成熟した社会、成熟した生き方をいかにして実現していくかを考えるにあたり、リベラルアーツが必要になっているのだと思います。

歴史を土台としたイギリスのリベラルアーツ

山口 先生のイギリス関連のご著書に登場するキーワードに「エリート」がありますね。イギリスのエリート教育では、歴史と哲学をベースに考える力を養うことが重視されてきました。オックスブリッジ（オックスフォード大学とケンブリッジ大学）をはじめとするイギリスの上位大学にＰＰＥ（Philosophy, Politics and Economics）、つまり哲学と政治学、経済学を同時に勉強する学科があるということは象徴的だと思います。専門分野の細分化が進んでいる日本の大学とは、教育に対する考え方が大きく違うと感じます。

中西 イギリスが中等・高等教育でエリートを養成してきたのは、階級社会であることに起因します。階級制度は歴史とともに変化してきましたが、階級意識や貴族制度は根強く残っています。貴族や上流階級で、パブリックスクールからオックスブリッジへ進むのがイギリスの典型的なエリートであるという図式は現在でも変わっていません。

山口　かつて貴族階級のエリートの仕事は「統治」することでした。役人や政治家として国内を治める、あるいはイギリス東インド会社を通じた植民地統治などを行なう。そのためにはまず自国や現地の歴史、文化を知っておくことが欠かせません。歴史の知識は哲学と結びつくものですから、まず歴史と哲学が基本として学んでおくべき素養でした。政治や経済はその次にくるもので、哲学を源流としつつ、より実務に近い学問という位置づけです。そのため近代以降も、それらを総合的に学ぶことがエリート教育の基本として重視されているのです。

中西　基礎学問としての歴史・哲学と、プラグマティックな学問としての政治・経済ということですね。

そういうことです。歴史と哲学は日本では切り離されています。しかしイギリスでは、哲学を学ぶことにより、日本語ではうまく表現しづらいのですが、「historical mind」を身につけることができると考えられています。そして、それらが重視されてきた背景には、ルネサンスや宗教革命の時代に形成された人文主義の考え方が、他の西洋諸国では産業革命期にdisciplinaryな学問に押されてしまったのに対し、海外発展に成功したイギリスでは優位を保ち続けられたことが挙げられます。多くの西洋諸国は、産業革命に追いつくために、実学に比重を置かざるを得なくなった。これは明治以降の日本の近代化と教育の関係にも当てはまるかもしれないですね。

山口 イギリスにおいて歴史を土台としたリベラルアーツを重視しているのは貴族階級に限りません。一九七〇年代前半、私がイギリスに留学して半年ほど経った頃、下宿のおかみさんから通りすがりに、「最近出たエリザベス一世の伝記は読んだか？」と聞かれたのです。私が「初耳です」と言うと、「国際政治を勉強しに来ているのだから、エリザベス一世のことぐらいは知っておきなさい」と車で書店へ連れていってくれたのです。書店に着くと確かにその本がフロアに平積みされていました。小説家ではなく歴史学者が書いたものでしたが、そういう本が広く一般に読まれていることに感心した覚えがあります。

中西 日本では歴史書のベストセラーというと、歴史小説家が書いたものばかりですから、ちょっと想像できないですね。

実際に読んでみると、学術書という雰囲気ではなく、歴史小説のようにおもしろく心を躍動させる、魅力ある作品でした。学者として厳格にエビデンスに基づいた論文を書く一方で、そのように一般読者を惹きつける本が書けるほどの文学的素養も持ち合わせている歴史家、歴史学者が高く評価されるのです。イギリスにはそうした学者が現在でも数多くいます。それは彼らが専門知識だけでなく、基礎としての広い教養を身につけていることの表れの一つでしょう。

なぜチャーチルはナチスとの対決を選択できたのか

山口 イギリスにおけるリベラルアーツの奥深さがよくわかるエピソードですが、そう考えると、首相在任中の一九五三年に、ノーベル文学賞を受賞したウィンストン・チャーチルのような人物がいたこともうなずけます。

中西 『第二次大戦回顧録』が評価されたのでしたね。平和賞ではなく、文学賞を受賞したことが作品のレベルを物語っていると思います。今日の実証史学的な見地からすると、内容に問題がないわけではありませんが。それはさておき、チャーチルは政治の道に入る前、新聞の特派員や従軍の経験を基にした小説で高く評価されたことからもわかるように、生来の物書きだったのでしょう。それだけ教養の幅もあったということです。

山口　チャーチルは絵の才能も評価されていますね。政治家としては紆余曲折を経験した一方で、私生活では趣味人でした。そうした意味では、菜食主義者で酒もたばこも飲まなかった、いわば disciplinary で、かつ絵描きとしては芽の出なかったヒトラーと、まさに対照的だったと感じます。

中西　そこはチャーチルを語るうえで大事なポイントです。チャーチルは絵画のほかにレンガ積みも趣味にしていたり、いろいろな新しいカクテルを考案してカクテル図鑑に掲載されて大喜びしたり、じつに好奇心旺盛で多才な人でした。これは、おっしゃるように政治家としてジェットコースターのようなキャリアを辿ってきたことにも関係しているでしょう。その時々に、彼の心を惹きつけるもの、精神を躍動させるもの、山口さんの言葉をお借りすればアートの世界、そうしたものへの欲求に素直に従うことでバランスをとっていたのかもしれません。逆にヒトラーという人はおそらく、そうしたものに対して禁欲的だったのだと思います。

　チャーチルの偉大さは政治手腕や外交戦略をもって語られることが多いですが、それらは自分の感性や直感に忠実であった生き方と無関係ではないと思います。

山口 第二次世界大戦におけるナチスドイツとの向き合い方を見ていると、外部要因だけでなくチャーチル自身の歴史観を背景とした直感というものが大きく作用していると感じます。

もともとイギリスでは、ナチスとどちらかというと宥和《ゆうわ》したほうがいいというのが支配的な空気でした。チャーチルの前のチェンバレン政権では、ナチスとはうまく妥協して、その代わりナチスドイツには共産主義のソビエト連邦の防波堤になってもらおうという狙いがあった。そこにチャーチルが、半ば直感だと思いますが、ナチスと妥協してもイギリスが平和になるとは思えない、これは島国を守ってきた先達に対しての裏切りではないか、この時点での自分たちの判断がこの先の歴史も決めてしまうという議会演説を打つわけです。

当時、イギリスの貴族階級・有産階級の人たちの頭の中には、共産主義が攻めてくると、自分たちの資産がとりあげられるという漠然とした恐怖があり、非常に観念的に捉えていたわけですが、チャーチルはもっと大きな歴史的文脈の中でナチスドイツとどう対峙すべきなのかと考えたと思います。そしてそこにはチャーチルが持っていた歴史観というものが作用している感じがします。

中西 おっしゃるとおりです。そのことは、イギリス外交史の専門家でもなかなか気づかない核心を突いています。

第二次世界大戦時におけるチャーチルの基本的な考え方は、ルネサンス以降ずっと大英帝国の外交戦略の基本であった勢力均衡策、すなわちヨーロッパで覇を唱えようとする国が現れたら、周辺国を組織してバランスオブパワー（力の均衡）で抑え込むという外交戦略でした。彼は、大国のソビエト連邦とアメリカによる包囲網で、危険な人種差別思想を持ったナチスドイツを抑え込み、ヨーロッパの秩序を回復しようという構想を立てたのです。

そのような勢力均衡策は、イギリスの力が低下しつつあった一九三〇年代において、時代遅れであると国内で批判されました。ただ、チャーチルの歴史観は、自身の先祖である初代マールバラ公爵（初代公爵の爵位授与は一七〇二年のスペイン継承戦争のイギリス総司令官の功績による）以来、二百数十年にわたって続いてきた貴族の末裔としてのそれであり、いかに時代遅れのやり方であっても、過去の類例に当てはまるのなら必ずやりきれるという直感があったのでしょう。

一方で、アメリカの力を利用しようと考えた背景には、二〇世紀に入ってアメリカが本格的に世界秩序の担い手として台頭してきたという事実、また、イギリスとアメリカが経済的にも結びつきを深めて一体化している中で、国家という枠を越えたアングロサクソン勢力圏あるいは自由世界という視点を持つことができた、天性の時代感覚もあったと思います。

初代マールバラ公時代の発想というアナクロニズムとそれに対する自信、そして現実の世界情勢を冷静に見抜く力が、すべて彼の中に整合的に意識されていたかどうかはわかりませんが、一人の人間の中にしっくりと結晶していた。その結晶の仕方が、私はチャーチルという人間の核心ではないかと考えています。

大英帝国の繁栄を支えた知恵

山口　彼の中には、大英帝国をつくり上げた偉大な祖先たちの末裔として自分があるという意識、ある意味で生きた歴史が血として流れていたからこそ、何をすべきか、すべきでないかという「美意識」があり、それに照らして考えていたということですね。

ところでチャーチルは、一九二九年に世界恐慌が起きた、まさにそのとき、震源地のアメリカのニューヨーク・マンハッタンにいたそうですね。じつはこれは父親から教えられたことなのですが、「チャーチルはいつも決定的な場所にいる」と。それも彼の直感が関係しているのでしょうか。

中西 直感と、それを裏付けるだけの情報があったのでしょう。彼の情報源というのは、近年イギリスの歴史研究分野でも関心の高いテーマで、本もたくさん出されています。

チャーチルは自分個人の情報機関を持つほどインテリジェンス（諜報、分析された情報）を重視していただけでなく、人的コネクションも豊富に持っていました。一九一〇年代にはすでに内務大臣や海軍大臣を務めていますから、そこでかなりの情報網を築いていたはずです。大恐慌の現場にチャーチルがいたということは、やはり大きな山が迫っているという直感と情報があったためかもしれません。もちろん彼がインテリジェンスを重視していたのは彼自身のためではなく、あくまでも大英帝国のためであり、彼は帝国を守るために身を挺していた。だからこそ、いつも決定的な場面にいたのだと思います。

山口 先生はご著書の中で、イギリスが選択や進路を決定する際の「知恵」として、「早く見つけ、遅く行動し、粘り強く主張し、潔く譲歩する」ということを書かれています。その一つ目の「早く見つけ」を実践するには、インテリジェンスが不可欠であるということですね。

中西　その言葉は、近代イギリスの外交と国家戦略の特質を端的に表現したものですが、情報を早くつかんでいるからこそ、最適な機を見て行動することができたのです。しかも、必要であれば翻意も恐れないという知恵、行動学ともいえますが、それを実践することでイギリスは世界に確固たる地位を築いてきました。チャーチルもこの行動学を意識していたと思います。

よく考えるとその四つの要素は、「早く、遅く、そして粘り強く、潔く」とおのおの矛盾したことを言っており、表面上、逆説的で、すべてを実践するためには自己の強い心理的コントロールが必要です。それこそリベラルアーツに裏打ちされた自己陶冶《とうや》、つまり精神的な成熟がなければ、そのようなコントロールは難しいでしょう。

山口　日本人は新規事業を始めるのが下手だとよく言われていますが、私は逆に、止《や》めるのが下手なのだと思っています。粘り強く頑張って、ダメだと思ったら潔く撤退する。そのことが非難されずにできる環境であれば、始めるのも簡単になると思うのですが。

中西　前言を翻《ひるがえ》すことを潔しとしないのは、日本人独特の美学ですね。しかし、これは時として非常に危ういことです。ただ譲歩も撤退もいかに自分に有利なタイミングで行なうかが重要です。「機を見る」ことの大切さは、歴史上のさまざまな出来事が示しています。

日本人が持つ、連続性への無意識の強い自信

山口 ここまで論じてきたイギリスは、歴史の連続性という点でも特筆すべき国だと思います。一方、日本の歴史に目を転ずると、特に一八六七年の大政奉還や一九四五年の敗戦をはじめ、中世から近代にかけて文化や政治体制などの断絶を何度も経験してきました。

中西 確かにイギリスの歴史には驚くべき連続性があり、過去一〇〇〇年にわたってほとんど変わっていないといえます。現在のイギリス王室の始まりは一〇六六年のノルマン・コンクエスト[*1]にあり、議会制も一二一五年のマグナカルタ（大憲章）[*2]の時代から続いています。貴族制度も厳然と残っていますし、さまざまな古い習慣をイギリス人は意識的に残そうとします。

対して、日本では江戸時代の末期から二一世紀に至るまでさまざまな断絶があり、それが日本の史学分野における大きな研究テーマにもなっています。日本人

は、古い上着を脱いで新しい時代に入るということを平気で行なってきました。このことは一貫性がないように見えますが、むしろ、イギリス人よりもっと深い部分での連続性に対する自信があるからこそ、できるのではないかと私は思います。

ちょんまげを切って洋服を着たぐらいで、廃仏毀釈《はいぶつきしゃく》*3をしたくらいで、憲法が変わったぐらいで、自分たちが根本的に変わることはない。そのような無意識の強い自信が、日本人にはあるのではないでしょうか。そこは他のアジア諸国とは大きく異なる点です。このような日本人の連続性に対する強い、しかし無意識の自信と、イギリスの古いものを維持し続けようとする強い、意識的な執念というのは、必ずしも相反するものではなく、表裏一体を成すようにも見えます。

山口　なるほど。いまのお話から日本語の特性が思い浮かびました。日本語は漢字をはじめとするさまざまな要素を外から取り入れながら確立されてきました。いわば多重的なシステムですね。ヨーロッパや中国では、何かを変えるときには新しいものにリプレイスしますが、日本は新しいものを並立させるという特徴があるかもしれません。断絶したように見えるけれど、古いものもちゃんと残っているということですね。

中国人の友人と話したときに、彼らからすると正倉院御物などというものがいまでも残っているというのは信じられないんだと言うんですね。中国だったら確実に盗まれるか、支配者が代わると全部燃やしてしまうと言います。ですからその一貫したモードというか、文明はどんどん取り入れるんだけど、通底している文化、精神性といったものはあまり変えていない。

中西　思うに世界には、新しいものを上へ上へと積み上げていくストック文化圏と、新しいものを取り入れるときに古いものを捨てたがるリプレイス文化圏があるのではないでしょうか。

イギリスも日本も、趣きはかなり違いますが、古いものを残そうとして無原則に積み上げていくという点は一致しているかもしれません。古いものと新しいものが矛盾しても、比較してどちらかを選ぶという対決のプロセスを回避してしまうのです。日本の神仏習合も漢字伝来も、また明治の近代化もそうです。いろんなものが重層的に積み上がっていっても矛盾を感じないわけです。

これは私の仮説なのですが、不思議なことに、そうした文化は大文明を築いた大陸の少し沖合の島国に共通しています。日本、イギリスのほか、スリランカやマダガスカルも、個人的な研究プロジェクトで調べた限りでは、やはり似たような融合性と、温和な国民性、そして心の機微を重視する文化、ムラ社会的なモラルに支えられた人間関係という共通した特徴を持っています。

1 **ノルマン・コンクエスト** フランス王臣下のノルマンディー公ギヨーム二世がイギリス王家の後継者争いで継承者を主張し、イギリスに侵攻、最終的に戦いに勝利し、一〇六六年ウィリアム一世として即位。いまにいたるイギリス王家の祖となる。

2 **マグナカルタ** 一二一五年、国王に対し、諸侯の権限、都市の自由を認めさせた憲章。これ以降、国王といえども議会の決議を経ずに課税はできないと解釈されるようになり、法の支配と議会政治の原則が成立した。いまでもイギリス憲法を構成する憲章である。

3 **廃仏毀釈** 明治維新後、新政府は神道国教化の方針を採択し、それまで行なわれていた神仏習合を排するために神仏分離令を発令した。これに伴い、全国で数年にわたり仏像、経典などを破壊、焼却する運動が起こった。鹿児島はじめ地域によってはそのまま廃寺になった寺院も多い。

かつての日本に足りなかった総合力

中西 話を戻すと、日本では断絶といっても意外に前の時代のものを残していますし、外から入ってきたものも諸々と受け入れるのではなく、換骨奪胎しながら取り入れていく。そのような「したたかさ」といいますか、無意識な深謀遠慮が日本人にはあると感じます。

山口　そうですね。結果論ですが、やはり歴史上、一度も外国に滅ぼされることなく続いてきた国ですから、案外したたかに立ち回ってきたのでしょうね。

おっしゃることは「文明」と「文化」の関係として整理できるかもしれません。文明という、良いもの、便利なものは外からどんどん取り入れるけれど、じつは通底している文化、精神性のようなものは変えずにきたというのが、遣隋使・遣唐使の時代から続いてきた日本のあり方でした。

ところが、一九九〇年前後のバブル景気の時代に時価総額の世界ランキング上位を日本企業が席巻し、経済・社会活動において歴史上初めて、めざすべきお手本がなくなるという状況が起きました。エリートというのは本来、お手本を自分で考える存在です。文明、社会というのはどうあるべきかと、それこそまさに大きな歴史的な文脈の中にいて、自分たちがいま何をめざしてやるべきかということを考えなければいけないわけですが、それまで外側からお手本をふんだんに与えられるという恵まれた状況にあった国が、手本がなくなって、そこから先の自分たちの行き先というものを考えなければいけないとなったときに、迷走状態に入ったのが平成という時代だったのではないでしょうか。

令和時代が始まりましたが、私たちや、さらに若い世代がこの国の未来の姿を考えるときにお手本となるものを外側に見つけ出すことが、ますます難しくなっていると感じます。

中西　それは、とてもよい視点ですね。昭和の歴史を振り返ると、確かにバブル景気の時代は、経済活動だけが肥大化した、いびつな状態でした。

当時は、社会一般の「教養」に対する意識、とりわけ国際政治や国際関係に対する関心や情報量のレベルもいまよりずっと低かったという印象です。いまなら、書店に国内外の歴史や国際政治についてわかりやすく書かれた新書の類がたくさん並んでいますが、その頃はそうではありませんでした。偉い先生が書いた本は難しければ難しいほど価値があるんだということでものを売ろうとしていたように見えました。

リベラルアーツが未成熟な中で経済力だけが突出して、柄にもなく世界の覇権を窺うほどに強大化した昭和末期の日本というのは、やはり社会としていびつであり、それがバブル期の国としてのつまずきの最大の要因だったように思います。

このことは太平洋戦争の教訓とも重なります。軍事力だけに偏らず、人文・社会科学の知識や、議会制民主主義をうまく運営できるような柔軟な社会、政治文化といった総合力をつけておくべきでした。

ただ、それで私たちが自信を喪失する必要はないでしょう。これまでは準備が足りなかっただけです。現在は、一国が経済力で国際社会を牛耳るというような時代ではありませんから、世界全体を見渡せる、真にグローバルな視野を持ったエリートを育成し、また日本人の中にそうしたエリート文化が根付くようになれば、国際的にもより大きな存在感を発揮できるようになるはずです。

私の住む京都では、外国人観光客によってわれわれがいままで意識していなかった魅力が発掘されているそうです。そうした話を耳にすると、われわれ日本人がもっと自己開拓、自己の再評価という面での教養を深め、社会の成熟や人格の陶冶に取り組めば、かつてなかった国としての洗練を実現して、本当の意味でのグローバルな視野を獲得し、世界に貢献できる可能性はまだまだあるという期待が湧いてきます。

歴史によって養われる感性

山口　先生はケンブリッジ大学やスタンフォード大学におられたことがあり、現在は京都にお住まいですが、数百年前の建物が地域に溶け込んでいるなど、京都は世界のさまざまな都市と比べても長い歴史を誇る都市ですね。そのように長い歴史がある都市では、話題にしたバブル景気との向き合い方も、東京とは違っていたでしょうね。バブル当時、私はまだ中学生でしたから状況はよく理解できていませんでしたが。

中西　確かに京都の人は、バブル景気のような動きを斜に構えて見る傾向があると思います。やはり長い歴史を積み重ねてきた経験から、「お祭り騒ぎには気をつけなさい」といった戒めを受け継いできた文化があるのでしょう。

　対して、日本の政治や経済の中心である東京は、新しいものやお祭り騒ぎを受け入れやすい、というよりむしろブームに乗らなくては置いていかれるような、追い立てられるような空気があるのではないでしょうか。京都駅から新幹線に乗って東京駅に降り立つと、車中でウトウトしていた私でも、何かシャキッとするような感覚を覚えますからね（笑）。

一〇〇〇年の都である京都と、約四〇〇年あまり前の江戸開府以降、日本の実質的な中心となってきた東京は、それぞれ異なる文化を持っています。このように、二つの文化的中心があるということは、それぞれの強みを生かせる環境があるともいえます。政治や経済のリーダーが、東京中心ではなく、京都を中心とする関西の文化や個性を生かすことも考えるようになれば、前述した自己開拓、自己の再評価に役立つかもしれません。他方、東京的なものをうまく取り入れると関西にとって役立つでしょう。

山口　いずれにしても、おそらくバブル景気の時代、京都の産業界では多くの人たちが、何か危ないのではないかという本能的感覚を持っていたのは確かです。バブル景気というものは、一七世紀のオランダで起きたチューリップバブルをはじめ、過去に何度も繰り返されてきました。昨今の仮想通貨もそうかもしれませんが、京都の人々のように歴史という裏付けを持っておくことは、そのような何かきな臭い雰囲気に気づく野性的な知性、チャーチルの歴史観からくる直感のような、ある種の感性を養うことにつながるのではないかと思います。

中西　これは何か危険だ、リスクがありそうだ、という予感は、過去の経験や知識に裏打ちされた感性として持ち得ることができるものです。特に組織を率いるリーダーには、そうした感性が求められます。そして、そのような意識されない感性とは、やはり歴史に親しむ中で醸成される教養やリーダーの文化として継承されていくものだと思います。

国家にも企業にも言えることですが、感性が息づく生きた文化を大切に守り、次代のリーダーやメンバーと共有していくこと、しかもそれが時代にそぐわなくなれば潔く書き換えるという勇気を持ち合わせながら継承していくことが、継続的に発展し続ける組織の条件なのだと思います。日本におけるそのような生きた文化の継承は、特に戦後、弱まってしまったのではないかと危惧しています。

イギリスのコモンセンス文化を支えてきたもの

山口 イギリスの憲法は不成典憲法[*4]として知られていますが、株式の上場に関するルールでも日本では事細かく決められているのに対し、イギリスではほとんど示されていないそうです。要するに「良識の範囲内で」ということなのですね。このようにコモンセンスを重視する風潮もイギリスの特徴ではないでしょうか。

日本でもコモンセンスは継承されてきたはずなのですが、敗戦の際に、良いものまで含めて過去の価値観を見直すことが求められました。養老孟司先生が「それまで使っていた教科書を墨で塗りつぶしたことが強烈な印象として残っている」という趣旨のことをおっしゃっていましたが、そこで生きた文化としてのコモンセンスの継承も途切れてしまった可能性があります。それをもう一度取り戻すのか、新たに形づくっていくのかが問われ続けた戦後の七五年だったのかもしれません。

中西　確かに戦争によって生じた大きな軋轢や矛盾については、いまだに整理しきれていない面があると思います。

一方、イギリスのコモンセンスについては、「何がコモンなんだ?」と言い出す人が現れたらどうするのか、という疑問が湧くと思いますが、そのような異論は、有無を言わさぬ影響力と支配力をもって、非常に強く抑え込みます。

と言っても、最初から権力で抑え込むような排他的なことはしません。どんなに地位が低い人でも異論を唱えることはでき、そのうえで議論して、違うものは違うとするのがイギリス流のやり方と言えるでしょう。駆け出しの政治家が首相を面罵することさえあります。だからといって、その人を処分したりしたら、首相はたちまち国民の信認を失うことになる。そうした社会でなければ根源的なエネルギーは湧いてこないということを彼らはよく知っていて、大切にしてきたからこそ、コモンセンスの伝統も生き残ったわけです。

このような文化はアングロサクソンの社会に共通していますが、特にイギリスのエグゼクティブ層はその傾向が強いと言えます。アメリカは移民社会ですから、事細かにマニュアルで規定しておく必要性もあるのでしょう。一度マニュアル化してしまえばそれが共通認識となり、議論は不要になります。ただ、それによって失うものがあるということを、特にイギリス人はよく理解しているのです。

私の経験から言うと、アメリカでも東部の名門大学、イェール大学やプリンストン大学などの一部の学部には、そうしたイギリスに似た文化があります。コモンセンス文化とマニュアル文化の両方を有していることが、アメリカの強さなのかもしれません。

4 不成典憲法 イギリスでは単一の憲法典として成典化されているものは存在していない。ただし、マグナカルタはじめ、法文化された憲法的法規はいくつも存在する。

戦略、選択、決断を支えるリベラルアーツ

山口　アメリカでも、東海岸と西海岸では状況が異なるかもしれませんが、ハーバード大学やスタンフォード大学などではリベラルアーツ教育が復権しているそうです。実学は大学院で学び、学部では歴史と哲学、芸術の授業を増やす方向にあると聞きました。日本は逆の方向に向かっているように思いますが、先生は日本のエリート養成を担ってきた京都大学で教鞭を執られてきて、いまの日本におけるエリート教育やリベラルアーツ教育について、思うところもおありではないでしょうか。

中西　アメリカもそうですし、イギリスでは顕著ですが、リーダーの素養としての歴史教育は、大学よりも中等教育が重視されています。イギリスの場合はパブリックスクールだけでなく普通の公立学校にも素晴らしい歴史の先生が多くいて、基本的な歴史の味わい方を身につけてから大学に進むのです。そこが日本とは根本的に異なります。

山口　大学では遅いわけですね。

中西　とはいえ、日本の大学でも、例えば、私の尊敬する歴史学者の一人である阿部謹也先生は、一橋大学でビジネスリーダーの養成に資する歴史教育を行ない、素晴らしい歴史家もたくさん社会に送り出しておられます。そこには、ビジネスリーダーとして未来を託される人物となるためには、歴史や文化を大切にすることが不可欠であるという、明治時代の人間教育の志向が息づいています。

イギリスのエリート社会では、ビジネス戦略の立案において歴史の知識が欠かせないと考えられていますし、アメリカでは外交官を養成するスクールや大学、軍の士官学校などでもリベラルアーツを重視し始めています。やはり戦略立案や行動の選択、最終的な決断においては、歴史によって培われた精神的な成熟や直感力というものが大きな意味を持つということが、きちんと理解されているのでしょう。

日本のビジネスリーダーでも、例えば、次の一万円札の肖像に起用される渋沢栄一は、著作を読むと国家目標としての近代日本の発展を真剣に考えていた偉大な戦略家であったことがわかります。彼は幼い頃から四書五経や日本の国史を学び、その戦略、選択、決断の裏側には、リベラルアーツによって支えられた強靱かつ柔軟な精神がありました。そうしたことは、洋の東西を問わず、大を成した

山口　リーダーたちの共通要素であると私は思います。

イギリスの歴史家、ジョン・アクトンは、オックスブリッジの学生が一所懸命に歴史を勉強するのは、古代の勉強をしたいのではなく人間の勉強をしているのだというふうに書いています。人間を知ることは「ヒューマニティ」に対する洞察を磨くことにつながり、人間的な成熟にも関わります。歴史というのは、人間を知るための題材としてはこれ以上ないものだと思います。

私自身、恵まれていたと思うのは、高校が私立の付属校でしたので比較的自由で、世界史の授業が本当におもしろかったことです。教科書からは常に脱線していましたが、その脱線の話から興味が広がり、先生から勧められた本を読んでさらに楽しく、興味深く歴史と付き合うことができました。歴史はケーススタディの宝庫だと、とてもポジティブな形で歴史を学ぶことができたのは幸いでした。

自分の感情や直感を大切にする

山口　本書の読者は、自身の学びを深めることに興味を持っている人が多いと思います。最後に、歴史を学ぶうえでどんなことを意識したらよいのか、ヒントをいただだけますか。

中西　歴史の学びは、歴史学者をめざす人よりも、それ以外の人にこそ役立つ学問だと私は思います。いや学問と言うより、「心の糧」にしてもらいたいものと言ったほうが良いのかな。そのためにはやはり、おもしろく、よく書けている歴史書を読んでいただきたい。難しく書かれた本を読んでも楽しくないですからね（笑）。

歴史書に限らず、本というのはやはり選択力、目利きが大事です。そうした情報をどうやって得るかということですが、図書館や書店で実際に手に取ってみることや、信頼できるコミュニティ、友人や知人などの人とのつながりの中で情報交換することも有効だと思います。

そして、読み方として大切なのは、物知りになろうと思わないことです。何か得るものが欲しいと思うなら、「このことを人間一般に還元したらどういう意味を持つのか」というふうに、普遍性や通時代性を見出すような読み方をするのがよいと思います。あるいは、歴史の登場人物に感情移入するような読み方ができれば、もちろんそれは質の良い感情移入でないといけませんが、必ず心に残り、糧とすることができるでしょう。

本に対しても人間に対するのと同じように、自分の感情や直感を大切にしながら向き合っていただきたいというのが、私からのアドバイスです。

山口　ありがとうございました。そうした読み方ができれば、ヒューマニティへの洞察が深められる、本居宣長が言うところの、「もののあはれを知る」ことができますね。

中西　その通りですね。歴史と言うと、われわれの世代は特に「史観」論争で疲弊した面が否めませんから、これからの世代の方々にはぜひ、「歴史はおもしろい」という感性を養っていただきたいと思っています。極端な言い方ですが、他人の説く史観よりも自分の感性のほうが本物だという気持ちで歴史書を愉しんでいただくことが大事だと、あえて申し上げておきます。

いま、こうやって中西先生との対話を読み返して、あらためて考えさせられるのが、先生が冒頭に述べられた「リベラルアーツの定義」です。先生は「リベラル」という言葉の意味を「縛りがないこと」と定義した上で、その対義語として「disciplinary」という言葉を挙げておられます。先生が対話中に指摘した通り、通常この言葉は「規律」「訓練」「体系化された学問」という意味で使われており、一般にはポジティブなニュアンスを持った表現だと言って差し支えないと思います。

「リベラルアーツ」の「リベラル」の対義語が「disciplinary」であり、それが通常は「規律」「訓練」「体系化された学問」という意味を持つということはつまり、「リベラル」というのは「非規律」「非訓練」「非体系化」という意味だということです。リベラルアーツとはつまり軽々とさまざまな領域を跳躍していく自由でしなやかな知的運動のことを言うわけです。このように指摘すれば、いかに日本の社会あるいは組織において「リベラルであること」が難しいかがよくわかると思います。

リベラルアーツを「自由になるための技術」と捉えたとき、歴史的知識はとても有用な示唆や洞察を与えてくれます。というのも、歴史上のさまざまな知識が、私たちを取り巻いている「いま、ここ」でだけ通用する多くの常識や定石に対して批判的眼差しを向けることを助けてくれるからです。

私自身は長年コンサルティングの業界で仕事をしてきましたが、問題解決のアプローチがまったく思い浮かばないようなややこしい問題について、しばしば突破口となるヒントを与えてくれたのは歴史的な事象でした。

例えば、ある製造業のクライアントから、創業家出身の社長にバトンタッチする際、権力の暴走を防ぐためにどのような体制・プロセスを考えたら良いか提案してほしい、という依頼をいただいたことがあります。これはもちろん、一般にはコーポレートガバナンスの問題として整理すべき課題なわけですが、ではコーポレートガバナンスの教科書を読んでカタがつくような生やさしい問題ではありません。

このとき、私は過去の歴史から、権力の肥大化と暴走を招いた結果として短命に終わった王朝や体制を整理し、そこに一貫してみられるパターンがあること、一方でさまざまな変動や困難にもかかわらず、崩壊することなく長く続いている王朝や体制には、一見すると非合理的に見えながらも、じつは大きな過ちを防ぐ安全装置のようなシステムが備わっていることを明らかにしたうえで、それらの示唆・洞察のうえにどのような体制・プロセスを考えるべきかを提案したところ、大変に喜ばれたことがあります。

別の視点からこれを語れば「歴史に嘘はない」ということになります。過去の歴史を振り返って継続的に観察される事象には必ず人間の本性が浮かび上がってきます。どんなに不合理で非科学的に思えるような事象であっても、それが繰り返し立ち現れるのであれば、そこには必ず何らかの真実が宿っているのです。これは非常に重大な点だと思います。

私たちの周りにはさまざまな言説が飛び交っていますね。例えばリーダーシップに関する言説について考えてみれば、書店のビジネス書のコーナーに行くと、「リーダーは鬼になれ」と訴える書籍と「リーダーは仏になれ」と訴える書籍が平気で並んでいたりします。両者のメッセージはまったく矛盾しているわけですから、いずれかが嘘を述べているわけですが、どちらの言説が嘘かを見抜くのはなまなかなことではないわけです。

しかし歴史には嘘がない。嘘がないということはつまり、学べば必ずリターンがあるということです。これは時間が最も稀少な資源となっているホワイトカラーのビジネスパーソンにとっては重大なポイントです。歴史を学ぶことは必ず有用な知恵を得ることにつながるのに対して、新しい知識というのは歩留まりが悪いのです。

この点はまた、未曾有の事態に対処するという局面においても重要です。本書を取りまとめている二〇二一年初頭の段階において、新型コロナウイルスの影響によってさまざまな社会的変化が起きています。例えば二〇二〇年一二月にコンサルティング会社のマッキンゼーが発表したレポートによると、コロナが収束したのちも、およそ二〇%の就労者は元の労働形態には戻らず、恒常的なリモートワークを継続するだろうと予測しており、その結果として都市の交通インフラや消費経済に「甚大な影響を与える」だろうと予測しています。

ではどのような影響が具体的に考えられるのでしょうか? さまざまな予測が考えられるわけですが、ここで重要なのは、どのような変化が起こるにせよ、その変化の中心には人間がいる、ということです。だからこそ「人間とはどのような振る舞いをする生物なのか」という洞察が重要になってくるわけで、そのような洞察を与えてくれるものとして、歴史が重要だということではないでしょうか。

第3章

「論理的に考える力」が問われる時代に

対談

出口治明

出口 治明（でぐち はるあき）

1948年三重県美杉村生まれ。1972年京都大学法学部卒業後、日本生命入社。ロンドン現地法人社長、国際業務部長などを経て2006年退職。同年ネットライフ企画（株）を設立し、代表取締役社長に就任。2008年ライフネット生命に社名を変更。2012年に上場。10年間にわたって社長、会長を務める。2018年1月より立命館アジア太平洋大学（APU）学長。著書は『仕事に効く 教養としての「世界史」Ⅰ、Ⅱ』（祥伝社）、『全世界史上・下』（新潮社）、『人類5000年史Ⅰ、Ⅱ、Ⅲ』（ちくま新書）、『0から学ぶ「日本史」講義 古代篇、中世篇、戦国・江戸篇』（文藝春秋）、『哲学と宗教全史』（ダイヤモンド社）、『還暦からの底力』（講談社現代新書）など多数。

本章のゲストは、出口治明・立命館アジア太平洋大学（APU）学長。

出口氏は、長年にわたって生命保険業界で活躍した後、二〇〇八年に還暦で戦後初の独立系生命保険会社となるライフネット生命を開業し一二年に上場、急成長に導いた。歴史に造詣が深く、稀代の読書家、経済界きっての教養人としても知られる。

大分県別府市十文字原の高台に建ち、眼下に別府湾を一望するAPUのキャンパスにて行なわれた対談。出口氏は、日本の成長率が低迷している根本的な要因は、論理的に考える力の不足だと指摘する。考える力を高めるための処方箋、そして日本再生のカギとなるものは何か。リベラルアーツに裏打ちされた幅広い視野から明らかにしていく。

ダイバーシティに溢れるAPUの教育環境

山口　先ほどキャンパス（立命館アジア太平洋大学（以下、APU））の中庭やカフェテリアの辺りを拝見したのですが、本当に国際色豊かで、ものすごく活気がありますね。

出口　ここ大分県別府市にあるAPUの学生数は約六〇〇〇名、その半数は世界九一の国や地域からの国際学生です（二〇一九年五月現在）。いわば「若者の国連」のような大学です。さらに、国内学生約三〇〇〇名のうち九州出身者が三分の一、後の三分の二は日本全国から来ており、国内学生における多様性も日本有数というダイバーシティに溢れた大学です。一回生は原則として全員が学生寮に入り、二人部屋の場合は国内学生と国際学生でシェアするなど、国際相互理解を深められる環境をつくっています。

国際的な評価では、イギリスの高等教育専門誌『タイムズ・ハイヤー・エデュケーション』の世界大学ランキング日本版で、二〇一八年、一九年と二年連続して西日本の私立大学でナンバーワンとなり、全国の私立大学でもトップ5に入りました。上位は早稲田大学、慶應義塾大学、上智大学、国際基督教大学といずれも東京の歴史を誇る名門大学ですから、開学二〇年に過ぎないAPUがそこに名を連ねるというのは望外の喜びです。

国際認証でも、二〇一六年に国際経営学部と経営管理研究科がAACSB International（AACSB：The Association to Advance Collegiate Schools of Business：マネジメント教育を推進する、世界で最も権威あるビジネススクール認証機関の一つ）より世界最高水準の教育機関としての認証を取得しました。AACSBの認証を取得したのは日本国内ではＡＰＵが三校目、世界のビジネススクールでも五％しか取得していません。

また、二〇一八年にはアジア太平洋学部が、UNWTO Themis Foundation（観光に関する世界最大の国際機関である国連世界観光機関（UNWTO）の関連組織）が実施する観光教育機関の認証制度「UNWTO. TedQual（Tourism Education Quality）」の認証を取得しました。日本国内では二校目、私立大学では国内初の取得です。さらに二〇二〇年には、経営管理研究科が日本で二校目となるＡＭＢＡ（The Association of MBA）の認証を受け、これでトリプルクラウンとなりました。

山口 まさに高等教育の国際化をリードしておられる。

出口 国際化に対応するため、春と秋の年二回入学できる仕組みにしています。入学試験は日本語か英語のどちらかで受けられ、キャンパスの公用語も日英二言語、学部講義のおよそ九割は日英の両言語で開講しているのも特色といえますね。

基本的な教育方針は三つあります。まず何よりも重んじているのが「ダイバーシティ」、個性の重視です。具体的には先ほどお話ししたとおりですが、僕は学長に就任してから一貫して「個性を大切にしたい学生はＡＰＵへ」と言い続けています。

第二は「自ら学ぶ」ことです。大学は何かを教える場所ではなく、自発的な学びを後押しする場所ですから、学生が自分のやりたいことを見つけられるよう、アクティブラーニングを積極的に取り入れています。ビュッフェのメニューのように多くのプログラムを用意して、その中から学生に好きなものをピックアップしてもらうという考え方で教育を行なっています。

第三には、企業への就職だけではなく、起業や大学院進学、NPO設立や国際機関への就職など、「学生それぞれの希望を応援する」ことで、そのための学生のサポートに力を入れています。二〇一八年には、課外プログラムとして「APU起業部」を立ち上げました。起業経験のある僕がリーダーとなり、メンターを務める教職員とともに国内外で活躍できる起業家を育成する実践型プログラムです。

APUとしての方針は以上ですが、僕個人として学生に言い続けているのは、「人・本・旅を通じて勉強してほしい」ということです。たくさんの人に会い、たくさん本を読み、たくさんいろんなところに行って見聞を広めて成長してほしいと願っています。

日本が行き詰まっている理由

山口　APUの先端的な取り組みが評価されていることからもわかるように、大学に求められる教育というものが大きく変わり始めていると感じます。日本の近代教育では、「西洋に追いつき追い越せ」という明治時代のモデルを継承し続け、自分で課題をつくる能力よりも、与えられた課題を速く正確に解く能力が求められてきました。しかし、それでは立ちゆかなくなってきたわけですね。

出口　そうですね。もう少し丁寧に述べると、明治維新が成功したのは、その前に幕政を統括していた阿部正弘[*1]という偉大な政治家が、「開国・富国・強兵」という三本柱のグランドデザインを提示し、その後で中国でいえば毛沢東のような西郷隆盛が早く下野したので、大久保利通という鄧小平のような人が実権を握って、幕末の「尊王攘夷」を阿部正弘のグランドデザインへと上手に切り替えたからです。

　ですから明治維新のキーパーソンは、阿部正弘と大久保利通。そのグランドデザインの正しさゆえにユニークな人材がたくさん生まれ、周恩来のような人物が留学してくるほど国としてのスケールも拡大しました。

しかし、その成功に増長して「開国」を捨ててしまった。世界に国を開かず「富国」と「強兵」だけでやっていけると勘違いをしてしまいました。

その典型が一九三六年のロンドン軍縮会議からの脱退です。軍縮会議では、7対10という、アメリカとの軍艦の比率が問題になったのですが、当時の日本とアメリカのGDPの格差は三倍以上開いていたので、ルールがなかったらアメリカは日本の三倍以上も空母や戦艦をつくることができたのです。ですからじつは軍縮条約というのはアメリカを縛っているものだったわけです。そういう当たり前のことがもう見えなくなって、開国を捨てて富国・強兵だけで突き進んだ結果が、第二次世界大戦の壊滅的な敗北でした。

戦後、吉田茂が阿部正弘の三本柱をもう一度見つめ直し、「開国」「富国」の順に優先順位をつけ、「強兵」は日米安保条約でカバーするというグランドデザインを描いたわけです。

戦後の復興に続いて奇跡的な高度成長が実現できた要因としては、野口悠紀雄氏が名著『１９４０年体制』（東洋経済新報社、一九九五年）で指摘したように、戦時下の統制的な経済体制がむしろ戦後の復興期に機能し、成長産業に効率的に資金を流せたことが大きかった。加えて、デービッド・アトキンソン氏が繰り返し指摘している人口増加が主要因となりました。そして、成長を支えた製造業の工場モデルに過剰適応した、偏差値が高く素直で、我慢強く、協調性があって、上司の言うことをよく聞く人間が量産されてきたわけです。

山口 バブル経済の崩壊から三〇年近くが経ったいまなお、戦後の高度経済成長があまりにも成功したために、ご指摘の製造業モデルから脱皮するのに苦労していますす。一方、世界は大きく様変わりし、まったく異なる成長モデル、成功モデルが次々と生まれています。

出口 いま、日本が行き詰まっている理由は、モノづくり信仰の一方でGDPに占める製造業の構成比が二割程度、雇用者数は約一〇〇〇万人で全体の一七%程度となったことからわかるように、もはや製造業では社会全体を引っ張れない状況になっていることが主因です。代わって伸びているのはサービス産業です。

また、この三〇年間、日本の正社員の労働時間はほとんど減らず、年間二〇〇〇時間前後で推移しています。にもかかわらずGDPの平均成長率は一%にとどまっている。日本と同様に少子高齢化が進行している欧州では、年間労働時間は一三〇〇〜一五〇〇時間程度で平均二・五%近く成長しています。

なぜ日本でこのように成長率が低迷しているのかというと、製造業からサービス産業へと産業構造が変化しているのに、人材も働き方も製造業の工場モデルを続けているからです。サービス業で問われるのは、与えられた課題をこなす力よりも、課題を見つけ出す力、新しいサービスにつながる独創的なアイデアを生み出す力です。ＡＰＵが評価されているのは、そうした力を養うには、とがった個性を尊重する教育に転換しなければならないということに、社会が気づき始めた証左かもしれません。

1 **阿部政弘**　江戸時代末期の備後福山藩第七代藩主。江戸幕府の老中首座を務め、幕末の動乱期にあって安政の改革を断行したが、老中在任のまま三九歳で急死した。

「女性」「ダイバーシティ」「高学歴」

山口　出口先生のおっしゃったことは、「役に立つ」と「意味がある」の違いとして区別できるかもしれません。製造業というのは「役に立つ」ものをつくる仕事で、日本人はそうしたものをつくるのが得意です。一方のサービス業では、必ずしも役に立つことだけでなく、個人的に「意味がある」ことや「ストーリー性」といったことが重視されます。日本人はそうしたことを考えるのが不得手なのではないかと感じます。

出口　それについては、「日本人は」というより「いまの日本人は」と訂正したほうがいいかもしれません。「日本」という国号が初めて対外的に使用されたのは、七〇一年の遣唐使からだとされています。したがって「日本人」というくくりにも約一三〇〇年以上の歴史があるわけですが、例えば室町時代の日本人はいまの日本人とは似ても似つかない、自己主張の強い人々だったといわれています。同じ「日本人」でも、その中身は時代によって違うということですね。

レヴィ・ストロース以降の文化人類学者が繰り返し証明しているように、人間は生まれ育った数十年の社会の意識を反映している存在です。そう考えると、いまの日本人は、戦後の製造業の工場モデルの下で高度成長した社会の意識を反映した存在であり、一律に日本人とはこういうものであると決めつけないほうがいいでしょう。正しくは、「いまの時代の日本人は戦後の製造業の工場モデルに過剰適応してこういう特質を持つようになった」と説明しなければいけないと思います。

山口　確かにそうですね。では、製造業モデルからサービス業モデルに適応していくためには、何が重要だと思われますか。

出口　キーワードは、「女性」「ダイバーシティ」「高学歴」です。

まず「女性」については、全世界的に見て、サービス産業のユーザーは六〜七割以上が女性です。その女性の欲しいものが、日本経済を牽引していると自負する五〇代、六〇代の男性にわかるはずがありません。北欧をはじめ欧州でクォータ制[*2]が進んでいるのは、男女平等の精神だけではなく、サービス産業の時代には女性に活躍してもらわなければよいアイデアが出ないということが大きな要因となっています。要するに需給ギャップを埋めなければならない。だからこそ、クォータ制は、すでに一〇〇ヵ国以上で導入されているのです。

翻って日本の現状は、世界経済フォーラムのジェンダー格差に関する報告書「Global Gender Gap Report 2019」によれば、一五三ヵ国中一二一位でG7（先進七ヵ国）では最下位です。まずはクォータ制を大胆に取り入れて、ジェンダーギャップをなくすことが第一歩です。

「ダイバーシティ」については説明するまでもないでしょう。経済学者のヨーゼフ・シュンペーターが説くように、本来のイノベーションとは「既存知の新結合」です。さらに、既存知間の距離が遠ければ遠いほどおもしろいイノベーションが生まれることも経験則として実証されています。この既存知間の距離を遠くするのがダイバーシティです。多国籍の人が集まれば、それだけいいアイデアが生まれる可能性が高まるということです。ラグビーワールドカップのワンチームが示したように、「混ぜると強くなる」のです。

「高学歴」は、簡単に述べると大学院修了者の比率です。日本の労働生産性は、データが集計され始めた一九七〇年以降、一度もG7の最下位を脱したことはありません。そして、労働生産性とその社会の大学院修了者の比率は正比例しているのです。

考えてみればこれは当然のことで、深く勉強した人は、それだけアイデアを出せる能力があるということですよね。日本には、なまじ勉強した人間は使いにくいなどという理由から大学院卒や博士号取得者を敬遠するような企業がたくさんあります。そんな社会が成長できるはずはありません。

要するに、成長のカギは国籍、性別、年齢フリーの社会構造に転換できるかどうかにあるのです。国を開いてさまざまな国の人に来てもらうこと、年齢や性別に関わりなく成果を出せば評価されるフェアネスを実現すること、それらが新しい産業構造に適応する土壌となるだけではなく、社会全体の活力を高めることにもつながるはずです。

2 クォータ制 人種、民族、宗教、性別などを基準として、議員や閣僚、経営層などの一定数を、現在不利益を受けている側に割り当てる制度。または男女の性差別による弊害を解消するために、積極的に格差を是正して、政策決定の場の男女比率に偏りが無いようにする制度。北欧諸国などで法制化して実施されている。

新しいものは辺境から生まれる

山口 私はもともとイノベーション研究が専門なのですが、やはり異なる分野の人が交わる場所でイノベーションが生まれやすいということは言えますね。例えば、ビートルズが出てきたのも、音楽のメッカであるロンドンではなく港町のリヴァプールでした。港町は異なる文化や民族の結節点となる場所です。

出口　そういう意味ではここ別府も、港があり、観光地としてさまざまな人が訪れるなど、新しいものを生み出すにふさわしい地と言えるのではないでしょうか。中央は洗練が進むがゆえに保守的になり、異質なものや新しいものは辺境から生まれるというのが歴史の法則ですね。日本でも新しいものは僻地から生まれています。例えば、平清盛による武家政権という新しい発想は、彼が大宰大弐（大宰府で次官に相当する役職）として大宰府に赴任したときに得たものです。日本に貨幣経済を導入し、武家政権というものを始めて、守護地頭の祖形を置いたり、軍事・警察権を掌握したり、これは全部が清盛のグランドデザインです。鎌倉幕府をつくった源頼朝は政策的には清盛のコピーです。大宰府は僻地でしたが、一方で大陸との接点でもあったわけで、さまざまな知識や情報が得やすかったのでしょう。

山口　江戸時代も、外から新しい情報がいちばん入るところは長崎、九州の北部でした。日本の歴史を振り返っても、新しいムーブメントはほぼ西日本から起きていますが、それはやはり外部情報との接点が多かったことと関係があるのでしょうか。

出口　そうですね。人間の歴史を見ても、異なる文化との接点にダイバーシティが生じてそこが栄えるということが繰り返されてきました。日本は常に大陸文化の影響を受けてきましたから、西日本がムーブメントを先導したというのは確かです。

関東を「あづま」と読むように、関西から見れば東はずっと辺境でした。「つま」とは「端」ですから、東の端が「あづま」であれば、西の端が「さつま」です。その東の端が江戸時代には中央となり栄えたわけですが、西日本の端にある薩摩や本州の端にある長州から起きた新しいムーブメントによって倒されました。歴史を知っていれば、こうした流れは必然であるという見方もできると思います。

学ぶ習慣を身につける

山口 辺境は異なる世界との接点でもあり、そこから大きな変化が起こるというのは、本当におっしゃるとおりです。出口先生は学びを得るものとして「人・本・旅」を挙げておられますが、旅も異なる世界と接点を持つ機会として大切にすべきということですね。

出口 ええ。ですから近年、日本から海外への旅行者数は増えているのに、留学という形での交流が衰退していることは大問題だと考えています。象徴的なのは、アメリカへの日本人留学生の数が、一九九八年には約四万六〇〇〇人だったのが、二〇一七年には二万人を切るまでに減少していることです。留学生全体の総数も二〇〇四年の約八万三〇〇〇人をピークに二〇一六年には約五万六〇〇〇人まで減少しています。こうしたこともあり、APUでは今後五年間で日本人学生全員に海外経験をさせるプランを立て、実行しているところです。

最新の脳科学の研究成果によると、知的好奇心や向学心は一八〜一九歳でピークを迎えると報告されています。その時期に学ぶ習慣を身につけ、「知ることは楽しい」と思えるようになると、水泳や自転車と同じで学習習慣や学習意欲を一生持ち続けることができます。そのような時期だからこそ、旅だけではなく留学という異文化を深く学ぶ機会を得て、異文化を理解する習慣を身につけることが大切なのです。

山口 学ぶことは一種の習慣なのだということも大切なポイントですね。

出口 何かを学ぶということは人生の選択肢を増やすことにつながります。一八〜一九歳でピークをつけると述べましたが、もちろん社会人になってからでも遅くはありません。意識することで習慣は身につけられるはずで、一生学び続ける人は生涯所得も高くなります。

山口　そうなると、学び直しも大事になってきますね。

出口　そのとおりです。過去のできごとを対象とする歴史研究でも、技術の進歩や新たな文献の発見などによって、新しい知見が得られることが多々あります。例えば、すでに研究され尽くされたように思える『日本書紀』も、日本語学者の森博達氏の著作『日本書紀の謎を解く　述作者は誰か』（中公新書、一九九九年）では、漢字の音韻や語法の分析によって渡来中国人が書いた部分と日本人が書き継いだ部分を明らかにすることで、各巻の成立順序や記述内容の虚実についての新しい論考がなされています。歴史も科学の一つですから、最新の知見を積み重ねることで真実に近づくことが可能です。一度学んだから終わりではなく、知識も更新する必要があるのです。

人・本・旅を通じて学ぶヒント

山口　人・本・旅を通じて学び続けることが必要なのですね。では、その学びのあり方について、どうすればうまく学べるのかヒントをいただけますか。

出口　まず人については、賢い人や優れた人に学ぶほうがいいわけですから、「人から学ぶ」ということは、「どうしたらいい人に出会えるか」という問題に置き換えることができます。ただ、人には好き嫌いや相性がありますから、「そんなことわかったら苦労せえへんで」というのが結論です。ではどうすればいいか。とにかく誘われたら行ってみることです。何も得るところなく退屈だったらすぐに帰ればいいだけの話です。まずは積極的に外に出ていかなければ人とは会えませんから、機会があれば足を運んでみるという前向きな気持ちが人から学ぶことの第一歩でしょう。

本は人に比べれば簡単に良書が選べますね。古典はまず間違いない。何百年も読みつがれてきたものが悪いはずがありません。それから、日本には新聞という、数百万部も発行されているクオリティペーパーがあります。それだけ多数の人に読まれている新聞に、超一流の先生方が実名で書いている書評はまず信頼できると考えられます。その中からおもしろいと思うものを選ぶとよいでしょう。

書店で実際に手に取って選ぶときには、本文の最初の一〇ページを読めばおもしろいかどうかがわかります。よく前書き、あとがきと目次を見たらだいたいわかるという人がいます。でも僕は自分で本を書いているからわかるのですが、前書きとあとがきは本が完成してやれやれと気が緩んでから書くものなので、おもしろさを判断するうえで役に立つかどうかはわかりません。それより、どんな本でも筆者が読んでほしいと思って本気で書いた本文の最初にこそ真価が出ていると思うのです。

旅はいうまでもなく、五感で学べることに価値があります。情報というのは五感で入手するものですから、実際に現場に行くことで、映像で見るよりもはるかに多くの情報が得られます。あのデカルトも、大学の本を読み尽くした後、世の中の人々の考え方を知るべく旅に出たように、たくさん人に会い、たくさん本を読み、たくさんいろいろな場所に行くこと以外に学ぶ道はありませんし、その学びは一生続くのです。

山口 特にリーダーとなる人は学び続けなければならない。

出口 リーダーは、判断を誤れば組織の多くの人を死なせかねないという責任ある立場にいるのですから、当然、人以上に勉強しなければなりません。オットー・フォン・ビスマルク[*3]は「愚者は経験に学び、賢者は歴史に学ぶ」と述べましたが、これは時間軸の問題で、愚者はごく短い自分の経験からしか学ばないが、賢者は時間軸を伸ばして先人や他人の経験からも学ぶことで失敗を防ぐという意味です。

例えば、東日本大震災のことを学んだ人と学ばなかった人がいたとして、次に大震災が起きたときに助かる可能性が高いのはどちらでしょう。

山口　もちろん学んだ人のほうですね。

出口　ええ。それが答えなのです。人間が自分の経験に学べるのは、せいぜい数十年の間に起きたことだけです。そんな短い間に大災害が起き、それを自分が当事者として経験できる確率は低いでしょう。これに対して、何千年も続いてきた過去の歴史には大災害の記録をはじめ、学べることが山のようにあるのです。

将来、何が起きるかは誰にもわからない。そのときにリーダーが判断を誤ったら自分だけではなく多くの人に死活的な影響が出ます。だからこそ、リーダーは過去の歴史を教材としてしっかり学んでおかなければならないのです。さらにいえば、過去だけではありません。いまの時代は技術の進むスピードが速いので、世の中に遅れないためにも学び続ける必要があるのです。

3　**オットー・フォン・ビスマルク**　一八一五～九八年。プロイセン王国首相として軍制改革を断行、ドイツ統一戦争に乗り出し、一八七一年のドイツ帝国樹立に尽力。九〇年に失脚するまでドイツ帝国初代首相として指導力を発揮、巧みな外交術で、ビスマルク体制といわれる国際秩序を構築した。

アズハル大学の三信条

山口　一生学び続けるという意味では、リカレント教育[*4]の場としての大学の役割も、今後大きくなるのではないでしょうか。

出口　そうですね。大学の理想のあり方は、一〇世紀の終わりにカイロに創立された世界最古の大学の一つ、アズハル大学の教育信条に集約されていると思います。それが、「入学随時」「受講随時」「卒業随時」の三信条です。わからないことがあればいつでもおいで、自分の勉強したいことだけを学べばいい、そして疑問が解けたらいつでも卒業していい。その代わりまたわからないことが生じたら、いつでも学びにおいで。これこそが、リカレント教育をも含めた教育というものの真髄です。グローバルに、かつ勉強したければいつでも学べるというのが大学の理想の姿なのだと思います。

これからの時代、変化のスピードはどんどん加速し、ますます先が見通せなくなるでしょう。変化に対応していくために、一〇年ほど働いたら数ヵ月学び直し、また働くというシステムになっていくかもしれません。そうした時代を見据えて、ここAPUではGCEP（Global Competency Enhancement Program）という、社会人を対象とした人材のグローバル化養成プログラムを実施しています。二ヵ月または四ヵ月の単位で国際経営論などを受講し、学生寮で生活することによって、実践的な言語学習や異文化理解を深められるプログラムです。二〇二〇年にはコロナ禍の中で、一〇〇％オンラインでGCEPに挑戦しました。

山口 大学での学びのあり方も、学位を取るだけに限らないさまざまな形へと多様化していくのでしょうね。一方で、最近の若い世代には、実学重視と言いますか、極端な話、自分は外資系の投資銀行に就職したいから文学とか歴史なんてどうでもいいという考え方もあるようです。

出口 それは大学の先生が学ぶことの大切さをきちんと教えていないからでしょう。投資銀行は誰を相手にビジネスをするのかといえば、人間ですね。だから人間と人間がつくる社会についてその本質を学ばず、テクニックだけを勉強してどうなるのか。そういう学生には、フランス大統領エマニュエル・マクロンの著作『革命』（山本知子・松永りえ訳、ポプラ社、二〇一八年）を読んでもらいたいと思います。彼は投資銀行勤務から三六歳で大臣になり、三九歳で大統領に就任したエリートです。その彼がどんな勉強をしたのかということを知れば、自分は投資銀行で働くから歴史や哲学はどうでもいいという考えは無くなると思います。

山口　「Knowledge is Power（知識は力なり）」というフランシス・ベーコンの言葉を思い出さなければいけません。

出口　フランスのバカロレア[*5]にはさまざまな科目がありますが、理系も文系も哲学が必須となっていますね。そうした仕組みになっていること自体が、学びのあり方に対する社会的な姿勢を示しているのではないかと感じます。

日本の新聞も、センター試験の改革を訴えるのなら、バカロレアの問題を載せたらいいと思います。例えば、「物事を知るには観察するだけで十分か」とか、「芸術は美しくある必要はあるのか」といった問題に一八歳の学生が答えているという事実を知るべきでしょう。

日本の現状を見ていると、ジョージ・オーウェルの有名な『一九八四年』に登場する「ビッグ・ブラザー」率いる政党のスローガンが想起されます。三つのスローガンのうちの一つが「Ignorance is Strength（無知は力である）」なのですが、まさにそのような状況です。

ただ、日本人が勉強しないのは日本人が劣っているからではなく、社会システムが歪んでいるからです。まず大学進学率が低い。高等教育の制度やその意味合いは国によって異なるので一律には比較できませんが、日本の大学への進学率は二〇一八年に五三％で過去最高となったものの、ＯＥＣＤ（経済協力開発機構）平均の約六割にはまだ届いていません。

次に大学に入ってから勉強しない。これは主として企業の側に問題があって、採用の場面で大学での成績を問わない企業が多いために、成績に対するインセンティブが働かないのです。どんどん成績基準で採用すべきです。それからさらにひどいのは、なまじっか勉強したやつは使い難いとか愚かなことをいって、大学院卒を大事にしない。これは労働生産性と大学院修了者の比率は正比例するというデータがあるわけですから、まったくおかしな話です。しかも二〇〇〇時間労働ですから社会人になってからは勉強する余裕がない。このように、日本人が勉強しないのは勉強させないようになっている社会の構造に問題があるのですね。

4 リカレント教育　スウェーデンの経済学者ゴスタ・レーンによって提唱された概念であり、義務教育や基礎教育の修了後に教育と教育以外の活動（仕事・余暇など）を交互に行なう学習システム。一九七〇年代にOECDで取り上げられ、国際的に知られるようになった生涯教育構想。

5 バカロレア フランスの国家学位の一つで、後期中等教育（リセ）卒業資格であると同時に大学入学資格証明。数種類の分野ごとに厳格な試験が課せられ、この資格取得の試験を意味する場合もある。

日本の生産性が伸びない理由

山口 冒頭におっしゃったように、グローバルな潮流はサービス業モデルに転換しているのに、日本は製造業モデル、工場で大量の人を使って、同じ仕事を大量の時間を使ってやらせるというモデルから脱却できていない。スポーツでたとえるなら、野球からサッカーへ種目自体が変わっているのに、トレーニングのやり方も選手の育て方も変わっていないから、さまざまなところにねじれが生じているのですね。

出口 そのねじれが閉塞感となり、先進国の中で最も若者の自殺率が高いという状況を生み出しています。長時間労働でも報われない、骨折り損のくたびれもうけでは社会全体が疲弊してしまうのも当然です。

山口 先日、デービッド・アトキンソン氏と対談したのですが、日本の生産性が伸びないのはマネジメントに問題があるからだという意見で一致しました。マネジメントに問題があるのも、勉強する時間がなかったからです。リーダーは歴史も最新動向も勉強しなければいけないのに、二〇〇〇時間も働いて、その後業界の会合に出ていたらいつ勉強すればいいのですか。

だから日本の経営者の座右の書が例えば司馬遼太郎の『坂の上の雲』になるわけですよ。世界のリーダーでエンターテインメント書を座右の書に挙げる人はたぶんいないと思います。でもそういう当たり前のことを認識しない。

出口 日本もまた、製造業モデルからのパラダイムシフトが求められているということですね。ただ一方では、パラダイムシフトは、古い世代がいなくなって、新しい世代に交代しなければ起こらないという見方もありますね。

世代交代論ですね。それは一部正しいのですが、問題は、歴史を見ていたら、滅んでいった王朝とか国家はまったく改革していなかったわけではないということです。改革しようとはしているのですが、時代の変化のスピードに追いついていないだけなのです。

だから、日本も必死で改革をしようとしているのですが、その改革のスピードと世界のスピードの競争になっているというところが問題なのです。これは結果が出ないとわからないのですが、うまくキャッチアップができれば日はまた昇るし、キャッチアップできなければさらに衰退していくという結果が待っているだけということになります。

ただ、おもしろいのは旧ソビエト連邦の指導者のミハイル・ゴルバチョフのように、体制の中から体制を変える勇気を持つ人が現れることもあるのです。そういうことを知るのも歴史を学ぶおもしろさです。

リーダーは組織を潰すこともできるし、トップダウンで世界を変えることもできる。人間社会を丁寧に見ていると、リーダーの役割の大きさに気づかされます。だからこそ、リーダーは謙虚な姿勢で、他人の五倍も一〇倍も学び続けなければいけないのだと思います。

考える力の差が結果を分ける

山口　リーダーはもちろん、私たち一人ひとりが学び続けることが社会を変えていくのだと思いますが、学ぶというのはただ知識を貯めることだけではないですね。

出口　ええ、僕はいつも次のように説明しています。「おいしい料理とまずい料理のどちらを食べたいですか」と聞けば、皆さんおいしい料理と答えます。では「おいしい料理」とはどんな料理でしょうか。それは因数分解、つまり要素に分解してみるとわかります。おいしい料理を構成する要素は、「いろいろな材料」と「上手な調理法」であると説明すれば、皆さん納得できますよね。

では人生はどうか。「おいしい人生」と「まずい人生」のどちらかを選ぶなら、皆さん「おいしい人生」を選びます。「おいしい人生」に必要なものは何かを料理のアナロジーで考えると、「いろいろな材料」は「さまざまな知識」に、「上手な調理法」は「自分の頭で考える力」と置き換えることができるでしょう。知識は材料ですが、材料を集めただけでは役に立ちません。どう組み合わせて調理すればおいしくなるのか、論理的に考える力があってこそ、おいしい料理、おいしい人生が完成する。おいしい人生はイノベーションと言い換えることもできますね。「さまざまな知識×論理的に考える力」がイノベーションを生み出すのです。

僕が社会人になった頃は、一つの言葉の意味を調べるにも、図書室へ行って百科事典を引かなければなりませんでした。いまはスマートフォンで瞬時にわかります。知識を得るためのコストや手間が格段に小さくなっている社会では、考える力の差が結果を分けます。

考える力を鍛えるには、料理でレシピ本を参考にするのと同じように、最初は模倣から入ります。ただし、よいレシピを真似しなければ料理が上達しないように、まずはアダム・スミス、デカルト、ヒューム、アリストテレスといった、優れた考える力を持った先人が書いた古典を丁寧に読み込むことです。思考のプロセスを追体験して、思考パターンを学ぶことから入るのです。そしてそれを自分なりにアレンジしながら、考える力を鍛えるほかはありません。

山口 考えることも一種の作法が必要ということですね。

出口 ええ。型（形）から入るのです。レシピと一緒です。

山口 「考える力」というと試験問題を解く力のように誤解されることがありますが、違いますね。

出口 まったく違います。問いを立てる力であり、常識を疑う力です。

山口 そのためには、例えば、デカルトが自らの常識を疑い、問いを立てるプロセスを書いた『方法序説』のような本を読み、追体験していくことで、ある種の型を覚えることが大事だということですね。

出口 そうです。今後ＡＩ（人工知能）のような技術がさらに社会に浸透し、ＩＴ化が進めば進むほど、リベラルアーツの力が大事になってくると思います。人間に問われているのは本質的に考える力なのですから。

日本企業の生産性が低いのはマネジメントに問題があるという話をしましたが、その根本的な原因は、分析をせず、論理的に考えないことにあります。高度成長はなぜ起きたのか。きちんと論理的に考えれば、アトキンソン氏の分析したとおり人口増加の効果が最も大きかったということは明らかなのですが、日本人は器用で協調性があるからだとか、「三方よし」の日本型経営によって成長したと思い込んでいる。ここが問題なのです。日本型経営が優れているなら、なぜ二〇〇〇時間も働いて一％しか成長できないのか。ドイツやフランスは一五〇〇時間以下で、二・五％成長しているのです。エビデンスに基づかない根拠なき精神論では、いま起きている世界の変化に対応できるはずがないでしょう。

数字・ファクト・ロジックに基づいて考える

山口 世の中でよく言われていることについて、「それは本当か」と疑うことができるかどうかは、幅広く物事を知っているかどうかに関わってくるわけですね。

出口 物事を正確に見るための方法論として、僕はよく「タテ・ヨコ・算数」と話しています。タテは歴史です。昔の人が物事についてどう考えたのかを知ることです。ヨコは他の国や違う業界です。日本社会の常識、業界の常識と思っていることが、世界ではどう見られ、考えられているのかを知ることも欠かせません。そして算数は、データやエビデンス、タテ・ヨコで学んだことを具体的な数字・ファクト・ロジックで把握するということです。

山口 自分がいまいる場所でずっと足元を見ていると、自分の立ち位置がわからなくなります。だから客観的な視点で見ることが大事だと。

出口 そうです。これもよく勘違いされていることですが、「多様性が大事だ」と述べると、「いろんな意見が出ると意思決定が遅くなるのでは」と反論する人がいます。ではグローバル企業はなぜ意思決定が速いのでしょうか。じつは、同質社会ほど忖度《そんたく》や空気を読むために意思決定が遅くなります。さまざまな意見や価値観の混在する異質な社会は、数字・ファクト・ロジックに基づいて考えるほかないために、かえって意思決定が速くなるのです。

山口　別の話ですが、この前、アジアでものすごく手を拡げて事業を展開しているある大会社の人に聞いたのですが、アジアから東京に来た幹部は本当に一所懸命勉強して会社の経営理念や基本哲学や歴史を勉強するそうです。結局、みんな持っている文化が違うので、部下を指導するときには会社にとっていちばん大事な「憲法」を知っていなければ部下を指導できないというわけです。でも日本人はほとんど勉強しない。阿吽の呼吸でわかっていると錯覚しているのです。だからダイバーシティに徹底的に溢れた会社をつくってしまうほうが、共通言語がタテ・ヨコ・算数しかなくなるから、むしろ意思決定が速くなるんですよ。これも大きい勘違いですね。

一九七〇年代から八〇年代にかけて大韓航空で事故が続いた時期があるんです。そのときにいろいろな調査が行なわれたんですが、その調査の結果が儒教の文化の影響であるというものだったんです。つまり、副機長が機長に対して、ちょっとこれは危ないんじゃないかと思ったときに反論しなさすぎるというのが理由だったんですね。

出口　朱子の子孫がじつはモンゴルの攻撃を恐れて朝鮮に亡命していたので、朱子学は朝鮮で発達したんですね。

山口　それが歴史的背景にあるんですね。その朱子学が江戸期に日本に入ってきた。

出口　江戸時代の林家という林羅山の系統は、この朝鮮の朱子学を学んだわけですね。でも江戸幕府は質実剛健なので朱子学はあまり大事にしなかった。じつは明治になってから、これも一九四〇年体制と同じように、天皇を国民国家のコアとしてイエ制度とセットで神格化する過程で、日本の神道には理論も何もなくて役に立たないので、この朱子学を使ったわけです。これは小島毅先生の『天皇と儒教思想』（光文社新書、二〇一八年）という本に書かれています。

山口　なるほど。それで大韓航空の話に戻すと、彼らは解決策としてコックピットの中では韓国語の使用を禁止して英語だけにした。パイロットは英語のトレーニングをものすごく受けますからね。そうなると機長への忖度や遠まわしに言うというのは母国語だとできたんですけど、英語になったら非常に直截なコミュニケーションになるので、それで事故率も改善されたそうです。これも、私たちは母国語のほうがコミュニケーションが精密にできて意思決定も速いと思っているんですけど、実際は逆という一例ですね。

出口　同質社会では忖度しすぎて、しかも同質社会のほうが差別も生じるんですね。なぜなら同質社会のほうが、つまらないことで差異をつけようと思うからです。これは小坂井敏晶先生が『社会心理学講義』（筑摩選書、二〇一三年）という名著で丁寧に論じています。こうしたことは世界の常識といってもいいのですが、残念ながら日本の経営者はまったく勉強していない。でもこれは、いまの日本の経営者が悪いのではないんですよ。仕組み上、勉強する時間がないということを述べているわけです。

経営やマネジメントなども、アメリカでは脳科学や心理学が入ってきているのに、日本ではピーター・ドラッカー[*6]がいいところで、いまでも経営というと、ホウ・レン・ソウ（報告・連絡・相談）だったりサイエンスに基づかない根拠なき精神論でやっている。こうしたことも日本企業が国際競争で遅れをとっている原因だと思います。

また、ＧＡＦＡ（Google, Amazon.com, Facebook, Apple Inc.）のような多国籍企業よりも日本企業のほうが社員を大切にしていると思っている経営者がいまでも少なくありませんが、それは本当なのか。タテ・ヨコ・算数で考えた人はいるでしょうか。グーグル社のように、年齢や性別、国籍などのデータをすべて抹消し、過去の成果といまの仕事と将来の希望で人を評価するほうがはるかに人間的ではないか。GAFAは社員を大事にして、サイエンスに基づく経営をしているからこそ、いいアイデアが生まれ生産性が上がるのではないか。そう考え直してみることも必要でしょう。

山口 私は先生の書かれたものをたくさん拝読していますが、特に感銘を受けたのが、「生きることは『世界経営計画のサブシステム』であるべき」という言葉です。「自分はいまの置かれているポジションで何をすれば、世界を変えることにつながるのか」を考え続けていくことが働く意味、生きる意味であると。本当にそのとおりなのですが、いまの社会では世界で起きていることと個人との分断、経営との分断が大きくなっているように感じます。

出口 国連のSDGs（Sustainable Development Goals：持続可能な開発目標）という世界の大きな潮流も、日本では自分たちのビジネスと結びつけて考えている経営者はまだ少数ですね。要するに精神の鎖国状態が起きているということがいちばんの問題なのですが、それも勉強することで変わるはずです。

山口 希望と言えるのは、ミレニアル世代*7に、経済的価値だけを追い求めるのではなく、社会課題の解決に貢献したいと考える人が増えていることです。企業の社会的価値を重視して就職先を決める人が増えてくると、企業の側も変わっていくのではないでしょうか。

出口 そうした変化が、みんなが勉強するようになったことの表れだとすると喜ばしいですね。とにかくいまは時間との競争です。世界の変化に、日本社会の変革のスピードが追いつけるのか。そこで負けたらこの国は衰退しかないわけですが、結果は出るまで誰にもわかりません。だからこそアトキンソン氏は、われわれ日本人に対して悠長に構えていていいのかと警鐘を鳴らしているわけですね。少なくとも日本再生のカギは、これまでの学び方を見直し、人・本・旅で原点から学び続けることにあるということ、再生のキーワードは女性、ダイバーシティ、高学歴であるということを、最後に改めて強調しておきたいと思います。

6 **ピーター・ドラッカー** 一九〇九〜二〇〇五年。マネジメントの発明者として知られる経営学者。日本にも信奉者が多い。

7 **ミレニアル世代** さまざまな定義があるが、おおむね一九八〇年代〜二〇〇〇年前後に生まれた世代。

出口先生とお話しさせていただいて驚いたのが、経営学における組織論・キャリア論のさまざまな定説を、リベラルアーツの学習を通じて把握しているということです。

出口先生のお話を伺っていると、「開かれてあること」をことのほか重要視されていることが感じられます。出口先生は製造業モデルからの脱却のカギとして「女性活用」「ダイバーシティ」「高学歴」の三つを挙げておられますが、この三つに共通するのは「他者との出会いを求めていく」ということです。それまで男性が支配していた職場で女性に働いてもらうというのも「他者との出会い」なら、ダイバーシティ＝多様性もまた「他者との出会い」をもたらすものであり、さらに「高学歴」もまたしばしば海外留学が伴うことから、必然的に「他者との出会い」をもたらすものと言えます。この柔らかさ、しなやかさは前章で中西輝政先生が指摘されたリベラルの定義、すなわち「縛りがないこと」にも通じるものがあります。

この「開かれてあること」という知的態度は、現在のようにさまざまな定説や常識が急速に陳腐化していく時代にあって、個人の知的生命力の根幹をなすものだと言えるでしょう。二〇〇年前の啓蒙時代、リベラルの元祖と言えるイギリスの哲学者、ジョン・スチュアート・ミルは代表作である『自由論』において、次のように指摘しています。

「誰かある人の判断が本当に信頼に値するという場合、どうしてそう言えるのか。その彼が自分の精神を、彼の意見と行為についての批判に対して、開いたままにしていたからである。（中略）人間というものが、ある主題の全体を知ることに、幾らかでも接近しうる唯一の道は、あらゆる多様な意見を持つ人々がその主題について言いうる限りのことを聞き、あらゆる性格の精神が、その主題について考察しうる限りのことを全て考察することだと、彼が感じていたからである。これ以外のやり方で、彼の賢明さを獲得した賢人は、かつていなかったし、他のやり方で賢明になるということは、人間知性の本性の中にはないのである」

このミルの指摘を読めば、あからさまな反論や議論が歓迎されず、空気を読むことの巧拙が出世に大きく影響するような社会や組織が知的に停滞していくのは当たり前のことだろうと思わされます。

翻って日本という国について改めて考えてみれば、危機のときにおいてしばしば「目を閉じ、耳を塞ぐ」ということをやってしまいがちであることが想起されます。

例えば、戸部良一他がまとめた名著『失敗の本質』では、旧日本軍が、しばしば極めて重大な危機の到来を示唆する情報を「意図的に」無視したことで甚大な被害を招いてしまっていることが指摘されています。旧日本海軍の失敗に関しては、しばしば、航空機を中心とした空母機動部隊による攻撃が最も有効な戦術になりつつある時代において、旧来の大艦巨砲主義から脱することができなかった、という指摘がなされます。これ自体は確かに事実ではあるのでしょうが、私がそもそも問題だと思うのは、なぜこの「主義」をアップデートすることができなかったのか？　という問題です。というのも、空母機動部隊を中心とした戦術の有効性を実戦において明確な形で示したのは、当の日本軍による真珠湾攻撃だったからです。日本軍はとうにその有効性を理解しており、そのうえ実践を通じてその有効性を証明してさえいたのです。

つまり、これは認知的な問題、作戦を考える知性の問題ではない、ということです。事実を眼前にしてなお、過去の定石や知識に頼って頑なにそれを守ろうとする知的態度は、現在のように変化の激しい時代においては決定的なエラーの要因となり得ます。

ロンドンビジネススクールにおいて組織論の教鞭をとるリンダ・グラットンは、その著書『ライフ・シフト』において、私たちの仕事人生の期間が、かつてのそれとは比較にならないほど長くなる、と指摘しています。一方、現在の社会では、環境問題やテクノロジーなど、予測の難しい変化が次々と起こっています。

これはつまり、私たちはこれから、常にアップデートが求められる世界において、仕事人生のキャリアを築いていかなければならない、ということです。「一度学んだからもう必要ない」では済まされない世の中がやってくるのです。

では、どのようにすれば、「目を閉じ、耳を塞ぐ」という状況を避け、自らの知識をアップデートし続けることができるのでしょうか。この問いに対して、出口先生は「人・本・旅」の三つを挙げておられます。

これはつまり、自分の中に蓄積された古い知識の「古さ」に気づき、それを上書き＝アップデートしていくためには、すでに誰かによって加工された情報（＝二次情報）だけでなく、自分で見聞きして直接得た情報（＝一次情報）、自分で会いに行って直接聞いた情報（＝一・五次情報）が重要だということを言っているわけで、とても重要な指摘だと思います。

私自身はともすれば書籍でのインプットに頼りがちなのですが、出口先生が指摘される通り、書籍だけでのインプットではどうしても「どこかで聞いた話」に偏ってしまうことになりますし、何よりもスピードという点が問題になります。通常、書籍の出版には企画の段階から出版まで、ゆうに一年はかかるので、書籍になった時点でその情報はすでにかなり古びているのです。

加えて指摘すれば、「本・人・旅」の三つは、それぞれが円環のように繋がっていると意識するとよいと思います。つまり「本で読んだことを人に話してみる、本で読んだ内容を確認するために現地に赴く」ということで書籍を通じて得た知識の理解や定着が進みますし、逆に「現地に行って感じた疑問を本で調べる」「人と話して興味深かったことを本で調べる」ということでさらに新たな知の蓄積が図られるということです。

私たちが生きている時代は常に知識のアップデートが求められている、そして本人の心がけさえあれば、そのアップデートはいくつになっても可能なのだということを、出口先生に教えられた気がします。

第4章

グローバル社会を読み解くカギは「宗教」にあり

対談

橋爪大三郎

橋爪 大三郎（はしづめ だいさぶろう）

社会学者。大学院大学至善館教授、東京工業大学名誉教授。1948 年神奈川県生まれ。
1977 年東京大学大学院社会学研究科博士課程単位取得退学。執筆活動を経て、1989 年東京工業大学助教授、1995 ～ 2013 年同教授（社会学）。著書に『言語ゲームと社会理論』（勁草書房）、『仏教の言説戦略』（勁草書房）、『世界がわかる宗教社会学入門』（筑摩書房）、『ふしぎなキリスト教』（講談社現代新書）、『ゆかいな仏教』（サンガ新書）など多数。最新著は『中国 vs アメリカ』（河出新書）。

日本人は宗教に疎いとよく言われる。身近な生活文化の多くが仏教や神道の影響を受けているということも、普段あまり意識されていない。キリスト教は知っていても、聖書を読んだことはないという人が多いだろう。しかし、世界の多くの国々では、宗教を基盤として文明や社会が成り立っていて、宗教を知ることはグローバル社会を読み解くことにつながると、大学院大学至善館教授の橋爪大三郎氏は説く。

日本を代表する社会学者として、世の中の仕組みについて、世界の宗教と社会との関わりについて、多くの著作を通じてわかりやすい言葉で伝えてきた橋爪氏。本章の対談では、宗教という視点から日本社会の課題を明らかにし、その解決に資する学びのあり方についていく。

宗教と国民性との深い関係

山口　橋爪先生は、ご著書の『世界は宗教で動いてる』(光文社新書、二〇一三年)の前書きで、「ビジネスマンなら宗教を学びなさい」とおっしゃっています。日本では、宗教と、経済・政治・法律・科学技術・文化芸術・社会生活は別ものと思われているけれど、日本以外の大抵の国ではそれら全部をひっくるめたものが宗教なのだから、宗教を踏まえずにグローバル社会でビジネスをしようなんて向こうみずだと指摘しておられますね。

私はもともと戦略コンサルティングの仕事をしていた関係で、組織の成り立ちについて興味を持ち、研究してきました。

組織の性格を決める要素の一つに人と人の上下関係があります。オランダの社会心理学者、ヘールト・ホフステードは一九六七年から七三年にかけて大規模な調査を行ない、世界四〇の国・地域における組織文化と国民性を定量的に測定、指数化しました。その指数の一つが権力格差（上下関係の強さ）です。これが高いと、部下が上司に反対を表明することに心理的な抵抗を感じる度合いが強いことになりますが、日本は平均値より少し高く、台湾や韓国と同じぐらい。平均より低い国はアメリカ、イギリス、ドイツ（旧西ドイツ）、フィンランド、スウェーデン、スイスなどが挙げられます。さらにぐんと低いのがイスラエルです。一方、日本よりも高い国にはフランスのほか、ブラジル、メキシコ、ギリシャ、ロシアなどがあります。

これを普通に並べてみるだけだとあまり規則性は見えないのですが、宗教を軸に見てみると、ローマ・カトリック、もっと言うとギリシャ正教の影響の強い文化圏と、プロテスタントの影響の強い文化圏でグループ分けができるのです。こうした事例からも、先生がおっしゃるように、文化や国民性と宗教が切り離せないということがわかります。

ビジネスパーソン、ビジネスリーダーであれば、普通は経営学を学びなさいと言われるわけですが、宗教を学ぶことの重要性について、改めてお話しいただけますか。

橋爪

ビジネスリーダーの中にはMBAを取得した方も多いと思います。MBAは大学院ですから学部を卒業した後に進むものですね。学部で学んだことは基礎として当然身についていて、それにプラスしてファイナンスやガバナンスなど、ビジネスに特化した専門的な勉強をするところです。つまり、MBAで学ぶファイナンスやガバナンスはビジネスリーダーに必要だけれども、ファイナンスやガバナンスを学んだだけではビジネスリーダーにはなれないということです。そこをまずよく理解しなければならない。建物にたとえると、五階建ての五階に相当するのがMBAです。一階から四階までがあるから、五階があるのです。

ハーバード大学は牧師養成から始まった

橋爪　では、一階から四階は何なのか。アメリカ最初の大学、ハーバード大学の例をお話ししましょう。

ハーバード大学が設立されたのは、いまから四〇〇年近く前の一六三六年です。最初の一〇〇年ほどは牧師つまり聖職者を養成する機関で、その間の卒業生は百数十人から数百人と言われています。一年間に一人か二人、多くても数人ということは、いまの一般的な学習塾よりずっと小規模ですね。

当時、専任教員はプレジデント（学長）しかおらず、一人で何でも教えました。牧師になるために必要なのは、まずギリシャ語。新約聖書が読める。ヘブライ語もできたほうがいい。旧約聖書が読める。ラテン語。神学書が読める。それから地理、哲学、歴史など、リベラルアーツの科目も教えました。

なぜ牧師にリベラルアーツが必要かというと、牧師は毎週、信徒に説教しなければならないでしょう。教会には、農民、商人、ビジネスマン、政府の職員、軍人、医者、音楽家など、ありとあらゆる人々が来ます。牧師はその全員の心に届くような説教をすることが理想です。的外れなことを言っていたら次から教会に来てもらえなくなる。そのためには世の中のことをよく知っている必要がある。だから役に立つことは何でも教えたのです。

さてその結果、どうなったかというと、卒業生は牧師になる以外に政治家、起業家、軍人や学者など、社会のリーダーになって活躍する人が増えてきた。それに伴って、だんだん牧師養成コース以外の分野が拡大していきました。そして、学部でリベラルアーツを勉強し、そのうえで医学、法学、神学などの専門分野を学ぶという大学の形がつくられたのです。

山口 学部を出てからディシプリン、専門分野に分かれるのですよね。

橋爪 ハーバード大学の場合、基本的に学部は一つです。新入生は皆FAS（Faculty of Arts and Sciences）、直訳すると「文理学部」に入り、将来どの職業をめざすにせよ、まずはリベラルアーツを学ぶ。それが建物の一階から四階に相当するわけです。だから、MBAのような大学院ではリベラルアーツ教育は行ないません。当然備わっているものだからです。ところが日本の大学は、入ると同時に学部に分かれるでしょう。一般教養科目はあるけれど、形ばかりだからリベラルアーツが身についていない。リベラルアーツの一つである宗教についても、よくわからないままになっている。

宗教は、先ほど挙げられた研究事例も示しているように、国民性と深く関係します。海外でビジネスを行なうには、その国の国民性を知っておくことが大前提になります。そのためには宗教に関する知識が欠かせません。今日、経済のグローバル化が否応なしに進んでいるからこそ、ビジネスリーダーには、リベラルアーツとして宗教を勉強することが必要なのです。

人と人は契約と法律で結びつく

山口　宗教の中でも特にキリスト教は一大文明圏を築いていて、グローバルビジネスでもキリスト教国やキリスト教徒と関わることは少なくないと思います。ただ、このキリスト教における人の位置づけや神と人との関係が、普通の日本人にはわかりにくいですね。

橋爪　キリスト教では、人間というのはそもそも間違いを犯す、困った存在であるとしていて、これを「原罪」と呼びます。そういう困った人間がしっかり生きるには、神が、そして教会が助ける必要がある、というのが基本的な考え方です。

とはいえ、世俗の社会をどう動かせばしっかり人間が生きられるのか、聖書に詳しく書いてあるわけではありません。この問題に対するキリスト教社会の向き合い方、ひいては近代社会の考え方は、聖書に書いてないことは、「あらかじめ人間が決めておく」というものです。これが法律です。法律はすべての人が合意して決める、契約という形態をとります。それは社会契約という、近代法の基盤となる考え方ですが、契約ですから拘束力があります。元はと言えば自分が合意したものなのだから、従わなければならないということですね。

契約に従うことは、他の人間に従うことではありません。キリスト教では、人間は神だけに従うべきで、さもなければ独立した存在であるべきだと考えます。ただ、独立した人間だけではバラバラになってしまい、社会が成り立ちませんから、そこは契約によって人間の集団をつくる。つまりキリスト教では、人は神と一対一で結びつき、人と人とは契約と法律で結びついているのです。

例えば結婚については、夫婦が契約を結び、教会で宣誓すれば家族となることが許される。政府は、国民と契約を結んで憲法を定め、国家組織のあり方を決めたから存在を認められ、命令権を持っている。一神教の国なのに人間が偉そうじゃないかと思われるかもしれませんが、人間はあくまでも契約に基づいて政治・社会を営んでいるのです。

ビジネスも契約で成り立っていますね。資本家が資金を出して会社を設立する、経営者を雇う、経営者は従業員を雇う、全部契約です。MLB（メジャーリーグ）の投手が球団と、一試合で八〇球投げたら降板するという契約を結んでいたとする。それで八〇球投げたらベンチに下がるのは、本人の意思でもないし、監督の命令でもない、契約なんです。契約＝法律によってすべてを動かすというのがキリスト教社会の基本です。

戒律がないから法律をつくった

山口　アメリカと日本の会社組織の違いは、契約に対する考え方の違いも大きいと思います。アメリカの組織というのは基本的に役職に責任がついている。この役職だと何の仕事をやり、何をやらなくていいかということが明快ですが、日本の場合は人に仕事がついていて、その人の役職が変わっても仕事が勝手にその人について動くというところがけっこう多い。アメリカの場合、いわゆる職務記述書というものをつくって、それに契約してその仕事を完成させることで組織が動くわけです。だから役割分担が非常に明確です。日本の場合は、そこははっきりしない。

そこで先生にお伺いしたいのは、キリスト教には旧約聖書（The Old Testament）と新約聖書（The New Testament）があり、この「testament」は日本語にすれば「契約」という意味になります。この場合の契約というのは、神が人間の絶対的な保証者として意思を示すということですが、人と人の合意による契約と、宗教上はどう区別されるのでしょうか。

橋爪　契約の意味するところは同じでしょう。契約というのは、自由意志を持つ双方が結ぶものです。契約がなければ自由に行動する権利があるけれど、契約を結ぶことによってそこに制約が課せられ、契約を守るように行動する。そこはまったく同じですね。

聖書は、契約の相手が神であることが根本的な違いです。神との契約は絶対です。神の意思である契約を守ることによって、その安全保障の中に入るということですから。旧約聖書では、預言者のモーセに神から伝えられた意思（律法）が記述されていて、その意思を守ることが神との契約になる。新約聖書には神の子であるイエス・キリストの福音が記されているので、それを信じることで神との契約を守るということになります。

旧約聖書はユダヤ教の聖書（タナハ）で、その中に書かれていることは、信仰と生活のあらゆることに関する律法となっています。キリスト教ではそれらが効力停止の状態になっているため、律法はありません。だから、人間が法律やルールをつくり、ビジネスのセオリーもつくらなければならないのです。逆に考えると、ユダヤ教やイスラム教のように律法に縛られないので、聖書の教えを逸脱しない範囲で自由に法律をつくることもできるし、ビジネスを行なうこともできる。だからこそ、キリスト教社会から近代化が進んだとも言えます。

山口　社会学の古典、マックス・ウェーバーの『プロテスタンティズムの倫理と資本主義の精神』では、「予定説」をはじめとしたプロテスタントの教義や考え方が資本主義の発展を後押ししたという、壮大な仮説が語られています。確かに、本格的な資本主義が生まれたのはプロテスタントの社会でしたが、先生はこの説についてどうお考えでしょうか。

橋爪　たぶんウェーバーの考えたとおりなのだろうとは思います。カルヴァン派の教義である予定説は、最後の審判でその人が神の国へ行けるかどうかはあらかじめ決まっているという考え方です。この教義を信じれば、人々は勤勉に働き、経済や社会が発展していくというのがウェーバーの仮説です。ちょっと聞いただけでは理解しにくいかもしれないけれど、自分は神の国へ行くことが決まっていると確信したいからこそ勤勉に働く、という論理ですね。

山口　では、ウェーバーがなぜそんなことを考えたのかというと、母国のドイツでなかなか近代化が進まなかったからではないかと思うのです。イギリスはうまくいっているし、アメリカもうまくいっている。ドイツはそれらを追いかける立場でしたが、なかなかうまくいかない。国内を見渡してみると、当時のドイツはプロテスタントのルター派が主流でしたが、カトリック教徒も三分の一から四分の一ほどいた。当然、ユダヤ人もいたでしょう。

橋爪　宗教改革はルターに始まったのですから、ドイツはプロテスタンティズムの本家であり、元祖のような国ですよね。カトリックがそれほど多かったとは意外です。

もともとカトリックの領邦もあったからだと考えられます。ルター派よりもプロテスタントとしてのあり方を徹底したのがカルヴァン派ですが、彼らはドイツにはそれほどいませんでした。概してカトリック社会では近代化があまりうまくいっていない。ルター派もカトリックに近いところがまだある。こうした宗教分布のためにドイツの発展が遅れているのだと、ウェーバーは半ば皮肉混じりに書いたのではないかと思うくらいです。

西洋社会の近代化とキリスト教

山口　プロテスタンティズムと近代化に関するマックス・ウェーバーの考察についてお話しいただきましたが、イギリスでは宗教改革によって英国国教会が成立し、同じプロテスタントの中で対立した清教徒がアメリカに渡りました。資本主義はその二つの国で本格的に花開いたわけですね。それは、プロテスタントのエートス（合理的倫理的生活態度）のようなものが、ビジネスにおける意思決定の質を高めることにつながったからとも考えられるでしょうか。

橋爪　それもあるかもしれませんが、近代化というのはビジネスの世界だけでなく、社会全体で起きることなのです。経済や産業、政治とそれに付随する法律、家族や教育、そして自然科学、あるいは哲学、芸術、歴史学などの人文学。これらが一緒になって社会を構成しているわけですから、それぞれの近代化・合理化が連動しながら進んだわけです。その根幹にキリスト教があった。例えば、自然科学は、キリスト教徒、特にプロテスタントが、ギリシャ哲学から人間の理性という概念を取り入れ、理性を通じて神と対話する手段の一つとして発展させました。また、西洋音楽は教会音楽が基になって確立されていったものです。絵画や彫刻も、宗教美術が西洋美術の本流で、そこから静物画や風景画が派生していきました。ビジネスに限らず、社会のあらゆる領域の近代化にキリスト教は深く影響したのです。

ウェーバーも、経済だけでなく社会のあらゆる領域において合理化が進んだからこそ、西洋近代社会が形成されたと考えていました。その確証を示すために、例えば『音楽社会学（音楽の合理的かつ社会学的基礎）』という未完の著作で、古代ギリシャと西洋近代の音楽を比較し、音楽がどのように合理化されてきたかを考察しています。

音階というのは比率でできていて、古代ギリシャではオクターブを分解して純正律というものをつくりました。音の周波数の比が整数比になる純正律は、和音の響きが整っていて美しい音律ですが、転調すると不協和音が生じるという問題がありました。

それで生み出されたのが、音階の中のすべての音程を均等に分割するという「平均律」です。平均律には何種類かあるけれど、一般的なのは一オクターブを一二に分割する一二平均律ですね。これによって自由な転調が可能になり、楽譜も書けるようになった。ただし、純正律と異なり和音の響きは美しくありません。代わりに、ピアノやオルガンのような鍵盤楽器に必要な一定の音律を可能にした。また、弦楽器であれば微妙に音をずらして響きを美しくすることもできる。

つまり、平均律というものによって記譜法や楽器などの技術が発達し、多様な音楽表現を得たことが、音楽の合理化・近代化につながったとウェーバーは考えたのです。そして、オルガンがキリスト教の教会で用いられるようになると、さまざまな教会音楽がつくられ、そこから西洋音楽が発展していった。音楽は一つの例ですが、経済やビジネスの合理化・近代化も同じように、キリスト教を基にして社会全体で進んだわけです。

偶像崇拝はなぜ禁じられているのか

山口　これも先生にぜひ伺いたかったことですが、一神教、特にユダヤ教やイスラム教で偶像崇拝が厳しく戒められているのはなぜでしょうか。これも日本人には理解しにくいことです。私の解釈では、旧約聖書に書かれた神の言葉は、解釈の恣意性が介在する余地が少ないために、世代を超えて教義を継承するうえでも重要です。だから偶像ではなくテキストに戻りなさい、コンセプトに戻りなさい、ということではないかと思うのですが。

橋爪 偶像はつくっても拝まなければ大きな罪にはなりません。だけど偶像をつくると拝みたくなるから、それがいけない。

山口 一神教の本義から外れていくというわけですか。

橋爪 もちろんです。一神教では神は世界をつくった創造主ですから、世界の外側に確かに存在しているものなのです。この世界の中には、神がつくったものか、あるいは人間がつくったものしかない。偶像は人間がつくるものです。人間がつくったものを人間が崇めたら、人間が自分自身を崇めていることになりますから、それは一神教では許されないわけです。

山口 神はモーセに対して名乗るときも、「わたしはある。わたしはあるという者だ」というふうに言いました。ユダヤ教の神は「ヤハウェ」と呼ばれていますが、子音だけで表記されているため当時は実際にどう呼ばれていたかがわからない。だから「エホバ」とも呼ばれますね。その名が意味するところも、「存在するもの」であるという説が有力です。こうしたことも一神教の考え方と関係していると思いますが、いかがでしょうか。

橋爪　一神教という考え方からすれば、神に名前は必要ないし、あってはならないわけです。

山口　名前というのは区別するためのものだから。

橋爪　そうです。神は一人しかいないので区別する必要がない。名前がないのだから神も名乗りようがないわけです。そこで、いろんな翻訳はあるけれども、「I am what I am」というふうに言ったのです。煙に巻かれたようではあるけれども。

山口　同じ一神教でもキリスト教は、像や聖人画を祀っていたりしますが、それは彼らの中でどういうふうに整理されているのでしょうか。

橋爪　厳密に言えば、整理されてはいないと思いますよ。中世のカトリック教会ではラテン語を聖書や学説に用いていたので、一般市民には理解できなかったのです。そこで理解しやすい画像や音楽や儀式を布教のために用いたことが始まりです。ただそれは、純粋な一神教の見地からすれば、腐敗堕落になるのかもしれません。

偶像崇拝の問題をはじめ、教義のディテールに至ると説明できないこと、不合理な点は、どんな宗教にも必ずあります。一神教ではそれをどう考えるかということ、原則から外れることが生じたら、一神教であればこうなるはず、と原点に戻ってやり方を変えていきます。それが社会を前に進める力にもなるわけで、不動の原点があると、むしろ改革が進みやすいということも言えるかと思います。

日本における宗教の空白

山口　宗教というものは、淘汰されたり形を変えたりしつつも、今日までずっと続いてきました。人が生きるためのエネルギーや道徳の源泉になるなど、社会において重要な役割があったからこそ、必要とされてきたのだと思います。そう考えると、いまの日本における宗教のあり方は不可解と言いますか、一種の空白状態にあるように感じるのですが、橋爪先生は現在とこれからの日本における宗教のあり方について、どのようにお考えでしょうか。

橋爪　江戸から明治になったときに、近代化のためには欧米列強に倣うべきだと、まず経済、少し遅れて政治、それから科学技術、教育とワンセットで取り入れました。ただ宗教、キリスト教に対しては警戒しました。当時の為政者たちは、欧米世界でキリスト教が社会の近代化・合理化に大きな役割を果たしていることを認識していましたが、日本の近代化にもキリスト教が必要不可欠かどうかを悩み、キリスト教をそのまま取り入れるのではなく、それに相当する別のもので代用できないかと考えたのです。

そのときにモデルとしたのが英国国教会です。アメリカのプロテスタントと違い、英国国教会は首長が国王です。これに倣って天皇を宗教的な権威とする「国家神道」というアイデアを考え出した。そして、教育勅語と軍人勅諭をつくり、学校と軍隊での教育を通して速やかに国民に浸透させました。キリスト教におけるイエス・キリストのように、国家神道では天皇が精神的バックボーンとなります。天皇に対して国民が献身し、天皇の意思が国家目標として与えられ、各人がその場所で努力する。これによって近代化が一気に進んだわけです。

ところが、この国家神道には大きな問題点がありました。イエスは二〇〇〇年近くも前の中東人で、英国国教会における国王とは無関係です。国王が戦争をすると言い出しても、イエスはそんなことは言っていない、と英国国教会の人たちが反抗することもできます。しかし国家神道では、古代の神々と神武天皇と今上天皇がほぼ一枚岩になっているため、今上天皇が言ったことに反対すれば、ただちに大逆罪になってしまうのです。

山口　宗教が国家権力のカウンターバランスにならないわけですね。

橋爪　そうです。だから、国家神道の下では言論の自由が成り立たなかったのです。英国国教会の中には言論の自由があり、清教徒やメソディストなど、いろいろなグループが出てきて自由闊達に議論ができますが、戦前の国家神道はそうではなかった。このことは、明治の元勲たちも気づいてはいたでしょうが、結局は近代化を優先したのだと思います。しかしその結果、天皇の権威を利用した一部の軍人たちが暴走し、非合理な戦争を引き起こしてしまった。

戦争に敗けた後、日本はどうなったかと言えば、まず軍隊がなくなり、それから国家神道がなくなった。でもその他のもの、政府とビジネスは残りました。学校も残った。天皇は象徴という形で継続したけれど、国家神道なしで近代化を続けなければならなくなったわけです。

自国のイメージなき日本

山口　国家神道というものが、キリスト教に代わるようなある種の国民倫理、あるいはエートスとなっていたのが、敗戦によってリセットされたわけですね。とはいえ、実際にはその後も、頑張って高度成長を成し遂げました。

橋爪　それは、目標はないけれど、とりあえず頑張ったのです。

山口　頑張れるものなのでしょうか。

橋爪　頑張ることによって空虚を埋め合わせていたのでしょう。受験勉強にたとえてみれば、頑張って勉強している高校生の子がいて、親から「うちはお金がないから大学には行けないよ」と言われた。そうなったらもう頑張る必要はなくなるのだけれど、「いままで何で頑張ってきたのか」と虚しくなってしまう。その虚しさをごまかすために、「よし、いままで通り頑張ることにしよう」と。目標も目的もないというのに、頑張るのをやめることができない。

経済成長に邁進した時代の日本人は、おそらくそんな心理状態だったのではないでしょうか。戦後、日本という国は経済、政治、安全保障がバラバラになってしまった。戦前なら、経済の近代化は欧米列強と並び立ち、アジアに新秩序を構築するためだ、というふうに曲がりなりにも全体が連動していた。途中から方向性は間違ったけれど、これが近代国家としてはノーマルな、本来のあり方でしょう。戦後はそれらが連動していないから、全体として何をめざしているのかがわからなくなってしまった。つまり「空虚」が生じたのです。

山口　ただ、空虚というのはしばらくすると忘れます。一本だけ歯が抜けたときのように、当初は違和感があっても、しばらくすれば慣れてしまい、昔からずっとこうだったかのように感じるようになる。いまの日本人はそういうふうに、空虚があること自体を忘れているのかもしれません。

でも、このままいけるものなのでしょうか。

橋爪　いけないことは明らかです。例えば、外交問題にしても、「自分の国はこうだ」という考えをしっかり持っていなければ、他国と対等に渡り合うことが難しくなります。政府はこう考えている。私たちの会社はこう考えている。私個人はこう考えている。そういうことがしっかり言えなければ、政治でもビジネスでも真の信頼関係は築けません。

日本人は、ものづくりでは、外から取り入れたものをさらに優れたものへと改良することが得意です。しかし、特に哲学や思想では、誰かが考えたことを仕入れてきて解説するだけで満足してしまう。そうしたことはもちろん必要だけれど、日本人が置かれている状況や向き合うべき課題というのは、フランスともイギリスともアメリカともドイツとも違うのです。だからこの国の中で考え、解決しない限り、どうしようもない。明治の元勲はそれをやったのです。欧米列強に対抗するために日本独自のアイデアを編み出し、近代化に成功した。もちろん今日から見ると多くの問題があったわけですが、何もアイデアを出さないよりははるかによいはずです。出したアイデアに問題があれば、つくり直せばよいのですから。

イノベーションに必要なものは「未来」

山口 欧米、特にアメリカの企業は、宗教的と言いますか、ある種の教義のようなものを明確な言葉にしているケースが多いですね。例えばアウトドア用品メーカーのパタゴニアは、地球環境を保護することが自分たちの存在意義であり、ビジネスはその手段であると公言しています。これはある意味では一神教的な考え方で、大きな目的や使命があるからこそ、企業活動を行なう根拠が明瞭で、概念的な説明ができるという構図になっています。グーグルもそうですね。世界中の情報を整理し、世界中の人がアクセスできて使えるようにするという使命を掲げ、すべての活動がそれに基づいています。

橋爪

これに対して日本の企業は、社会に役立つもの、便利な道具を生み出すことは得意なのですが、企業活動における目的や使命の概念化や、企業理念をビジョンや戦略と結びつけることが苦手なのではないかと感じています。このような違いが、イノベーションを生み出す力の差にもつながっているのかもしれません。さらにその違いには、地下水脈として流れている宗教が大きく影響しているのではないかとも思います。

足りないのは「未来」です。現在だけ見ていたら、できることは限られるでしょう。でも、もし未来が見えるなら、現在と未来の差をとることで、何が足りないかがわかってくる。足りなければつくればいい。そういうふうに未来を見ることがアメリカ人は得意で、日本人は得意ではないということでしょう。

それはなぜかと言えば、アメリカには「神」がいるからです。人間は死ぬ。自分が死んだ後のことは知りようがないから、考えなくていい。人間しかいなければ、そういう現世主義的、近視眼的な考え方でも構わない。

これに対して、神は死にません。天地創造のときからずっと地上のことを見ていて、これからも見続けていく。この視点があれば、まず歴史が書ける。つまり過去を持つことができる。そして現在だけでなく、未来も考えることができる。

人間は死んでも神は死なず、こういう世界をつくろうとか、こういう出来事を起こそうとか、「予定」しているわけですから。

山口　神の計画があるわけですね。

橋爪　そう。人間には見えないだけで、神にとっては、未来はありありとそこにある。そうした神と同じ視点を持つ人は、現在にいるけれど未来のことが見えるから、「足りないものをつくろう」と考えることができます。これが「発明」というものであって、現在のニーズに応えることではないのです。現実にアメリカでは、発明家やイノベーターがたくさん生まれています。大半はものにならなくても、勝ち残った人たちが市場を支配して、気がつくともう次の産業を手掛けている。この力が日本は弱い。それは未来がないから。なぜ未来がないのか。神の視点がないからです。

山口　それを考えたときに出てくる疑問が、なぜアメリカだけが突出して、神の計画というものに対する意識が強いのか、ということなのですが。

橋爪　発明の動機は、隣人愛の実践なのです。人々によりよく生きるチャンスを提供するため、というのがプロテスタントの教義です。さらに言えば、発明以前に、アメリカにはフロンティアというものがありますね。入植したときは何もなかったわけだから、アメリカ人は森があれば切り開き、丸太小屋を建て、水を引き、道路をつくり、社会インフラを一から建設して街をつくってきました。その過程で試行錯誤して、前回失敗したところを今度は改善しようとか、新しい技術を試してみようとか、都市開発と発明が直結していく。このように、常にフロンティアをめざしてきたのがアメリカの近代であり、フロンティアをめざすことが、神の視点で未来を見ることと結びついているのだと思います。

自分を超えるために必要な言葉の力

山口　お話を伺ってきて、宗教というものの重要性に改めて気づかされました。日本は多神教なので一神教的な神の視点を持つことは難しいかもしれませんが、まずはそうした考え方を理解することで、何らかのヒントが得られるかもしれないですね。

橋爪　人間には頭（脳）がありますでしょう。頭の機能はいろいろあるけれど、まず視覚・聴覚・嗅覚・味覚・触覚などの知覚で、目の前で起きていることはかなりの部分が確実に理解できる。もう一つの機能として、言葉というものが与えられています。言葉によって、目の前で起きていることだけでなく、知覚できないこと、例えば、自分が参加していない会合で何が語られたのか、私が生まれる前に何が起こったのか、そういういろいろなことを理解できる。言葉を使うことによって、自分の世界を言葉の到達する範囲まで広げることができます。これは人間に与えられたとても大きな能力ですね。だから人間は、言葉を使って物事を考えることによって自分を超えていきたいと考えるわけです。

ただし、よく考えるとここには矛盾があります。言葉で考えている以上は、自分の頭で考えているわけだから、自分を超えてはいないことになります。しかし、その言葉は自分の中から出てきたものなのか。何かの本に書いてあった、誰かが言っていたということであれば、他の人の頭の中にあった言葉が形を変えて自分の中に入ってきていることになります。本当に自分を超える可能性というのは、そこにしかないのです。ですから、いまの自分を超えてもっと大きな世界に行きたい、より正しく、より多くの人々の役に立つことを考え、実行したいと思うのであれば、本などで他の人の言葉に触れるということが必ず必要になるのです。

さて問題は誰の話を聞き、どの本を読めばいいかということですね。私がお薦めするのは、地域や場所にかかわらず、大勢の人が読んできた本です。

山口　古典ということになりますね。

橋爪　ええ。大勢の人が繰り返し読んできた本からは、そうでない本に比べ、人生を支えるに足る大きな構造を見つけられる可能性が格段に高い。だから最初に読むのなら、あるいは何冊か読むのなら、その中に古典があるべきであると思います。宗教には必ず古典があるから、キリスト教、ユダヤ教、イスラム教、ヒンドゥー教、仏教、儒教、何でもいいけれど、まずは古典を読むことが自分を超えるための確実で正しいやり方でしょう。

山口　新約聖書なら、「共観福音書」のように読みやすいものもありますが、仏教は何から読んでいいか迷いますね。

橋爪　経典を読んでみてください。般若心経は多くの人が知っているでしょうが、少し特殊な経典ですので、まずは初期経典から読むべきでしょう。ブッダの『真理のことば（ダンマパダ）』は、読んでみるとあまりに平易で、これがお経なんだろうか、と感じますが、よく読むととても奥深い。後は『ほんとうの法華経』（ちくま新書、二〇一五年）という、私と植木雅俊先生との共著があります。法華経は大乗教の中心となる経典です。その内容を翻訳者である植木先生が丁寧に解説してくださっていますから、お薦めできます。

西洋近代を形づくってきたキリスト教に加え、世界にはイスラム教、ヒンドゥー教、儒教がそれぞれ大きな文明圏を形成してきました。宗教は、人間ならば誰もが持つ、「自分とは何か」という問いを解明しようとしてきたものです。だからこそ、人間社会では何らかの宗教に基づき、文明圏が築かれてきた。複数の文明圏が並び立つ現代のグローバル社会を生きるうえでは、それらを理解するための「宗教のリテラシー」が不可欠です。ビジネスパーソンに限らず、すべての人が宗教を学ぶべきである、と私は考えます。

対談の中において、橋爪先生は、どのように考えるとキリスト教をより手触りをもって理解することができるかという点について「契約」というキーワードを挙げておられます。契約というのは言い換えれば抽象であり、またテキストということです。キリスト教は「契約」「抽象」「テキスト」ということを非常に重視します。具体的な例を挙げて説明したほうがわかりやすいでしょうか。

例えばユダヤ教、キリスト教、イスラム教では偶像崇拝が厳しく戒められているということは対談中でも触れました。偶像というのは具体そのものです。具体が禁止されているわけです。具体の代わりに何が認められているかというと、キリスト教であれば聖書であり、ユダヤ教であればタルムードであり、イスラム教であればコーランということになるわけです。

イスラムにおいてあれほど尊敬されているムハンマドですが、ムハンマドの肖像や立像などがモスクに置かれることは絶対にあり得ません。これは本当に驚くべきことです。彼らにしてみれば、肖像画を描いて壁に掛けたい、立像を鋳して中庭に置きたいという強い欲望を感じていたはずです。それを数千年にわたって厳しく律してきているという、そのディシプリンの強さにまず戦慄させられます。

どれほど「契約」「抽象」「テキスト」が重視されているか、を考えさせられる別の例として旧約聖書の物語を取り上げてみましょう。旧約聖書のサムエル記上では、預言者サムエルがイスラエル王国最初の王であるサウルに対して「アマレクのすべてを滅ぼせ」と命じます。アマレクとは周辺民族の一つです。そして神の命令に従って戦いを仕掛け、アマレクを全滅させた後、サウルは神への感謝を示すためにアマレクの羊と牛を生贄として捧げようとします。ところが、これに神が激怒します。理由は「すべてを滅ぼせ」と言ったのに捧げもののために牛と羊を一頭ずつ残したからです。結局、この一件がきっかけとなってサウルは神の寵愛を失い、神は次の王、ダビデを偏愛してサウルはダビデに命を狙われる立場に成り下がります。なんという豹変。愛情を示そうとして契約のごく一部を履行しなかったという、ただそれだけで王という立場から命をつけ狙われる立場にまで転落してしまったわけです。この物語を子どもの頃から読まされてきた人々にどのような精神的態度が形成されることになるか、想像してみてください。

私たち日本人の感覚からすると、言われた通りにアマレクをほとんど全滅させたうえで捧げものにするために羊と牛の一頭ずつを残しておくような部下は「なかなか愛《う》い奴じゃ」ということになるわけで、ある意味ではそういう行為が社会的に推奨すらされている側面があります。ですが、ユダヤ教・キリスト教の感覚からすると、これは単に「神との契約違反」でしかないのです。ここでも「抽象と具体の対立」という構造が成立していることに注意してください。このような思考様式が欧米における社会の、組織の、人のあり方に重大な影響を与えていると私は思います。

ある宗教を知ることは、その宗教に帰依している人々の思考や行動の様式、あるいは価値基準を理解する上で有用だということは、キリスト教だけでなくアジアの宗教についても同様に言えると思います。

例えば中国における儒教を考えてみましょう。ご存知の通り、儒教は中国におけるエリートの必須教養でした。中国におけるエリートの登用試験として有名なのが科挙です。科挙は六世紀末に始まり、なんと一三〇〇年にもわたって実施された官吏登用試験です。この科挙に合格するには徹底的に儒教、つまり孔子・孟子を勉強しなければならないわけですが、では合格するとどうするかというと、今度は処世術そのものと言っていい韓非子や孫子、呉子を勉強させられる。

つまり、科挙に受かる前は「正義とは」「正しいこととは」という「タテマエの勉強」をして、受かった後は「世の中はどうやったら動くか」「人間／国家を支配するにはどうしたらいいか」という「ホンネの勉強」をさせられるわけです。韓非子を読んでみるとその「世知辛さ」にはドン引きさせられます。「世継ぎを生んだ妃は、世継ぎを傀儡にして自分が国を乗っ取り、いずれ王を殺す。だから、そうなる前に殺してしまえ」などという、倫理的に信じ難いようなアドバイスが平気で書いてある。

儒教というのはひと言で言えば「政治万能主義」で、このルールや制度さえ守っていれば人々は健康になり、国は栄え、社会は花園のようになるという「美しい教え」です。しかし実際には、権力や謀略といった実学を扱う韓非子や孫子に支えられて初めて存在できているという側面が強い。

中国で儒教の伝統が根強いということは、皆さんもよくご存知の通りです。しかし、では儒教が教える道徳や倫理の規範が強く働いているかというと、そういうわけでもない。儒教という壮大な倫理体系をわざわざ構築しなければならなかったほどに功利的・打算的な思考様式が強かったのだということは、要するにマキャベリズムが異常に発達していたということですから、ここにも真逆のものが表裏一体となって働いていることがわかります。

これを組織論の枠組みで考えてみると、ある会社で非常に厳格なルールや制度が運用されているということを聞くと、僕らは単純に「へええ、しっかりした会社だな」と思ってしまいがちですが、そのようなルールが必要であったということは、逆に言えば業務や社風そのものに本質的にルーズな側面があったということの証左でもあります。このように考えてみると、宗教の枠組みで起きることは人間活動のすべてを深く理解するための縁になるのだということがご理解いただけるのではないかと思います。

第5章

人としてどう生きるか

対談　平井正修

平井 正修（ひらい しょうしゅう）

臨済宗国泰寺派全生庵住職。1967年、東京生まれ。学習院大学法学部卒業後、1990年、静岡県三島市龍澤寺専門道場入山。2001年、下山。2003年、全生庵第七世住職就任。2016年、日本大学危機管理学部客員教授就任。現在、政界・財界人が多く参禅する全生庵にて、坐禅会や写経会など布教に努めている。『最後のサムライ山岡鐵舟』（教育評論社）、『坐禅のすすめ』（幻冬舎）、『忘れる力』（三笠書房）、『「安心」を得る』（徳間文庫）、『禅がすすめる力の抜き方』、『男の禅語』（ともに三笠書房・知的生きかた文庫）など著書多数。

マインドフルネスや瞑想をメンタルトレーニングに取り入れるグローバル企業が増える中、世界のビジネスリーダーの間で、「禅」への関心が高まっている。国内でも禅の精神を学び、実践し、ビジネスや生活に生かそうという動きが盛んになってきた。

故中曽根康弘元首相をはじめ、名だたるリーダーたちが参禅したことでも知られる臨済宗全生庵の当代の住職、平井正修氏は、「禅は人としてどう生きるかを教えてくれるもの」と説く。言葉で伝えることが難しい禅の精神を、さまざまな表現で紐解いていく。

文字だけでは伝えきれない禅の教え

山口 本日は禅の教えをわかりやすく説いておられる平井住職にお話を伺えるということで、楽しみにしておりました。

平井 本当は言葉では伝えきれないものなのですが（笑）。

山口 「不立文字《ふりゅうもんじ》」＊1ということですか。

平井 いろいろと理屈をこねている人に、「まあ、まずは黙って坐れ」と言うのが禅なので、話して理解していただくのは、なかなか難しいことなのです。

山口　言葉や著述の否定は、西洋哲学の中にも古くからあります。代表的なのがソクラテスで、彼は「書かれた言葉は、誤解される危険がある」と、書物や文字を批判して一冊も本を書きませんでした。弟子のプラトンが、それではあまりにも惜しいということで書物にしたわけですが、ソクラテスに限らず、言語によって物事が概念化されることを批判する思想家、哲学者も多く、「まずは黙って坐りなさい」という考え方は、洋の東西を問わずに通じることかもしれません。

平井　私は西洋哲学にはあまり詳しくありませんが、宗教で言えば、イエス・キリストも自分では本を書かず、すべて福音書ですね。じつは仏教もそうなのです。お釈迦様は本を書いていませんし、亡くなったあと数百年はその教えが文字にされることはなく、暗記と口伝によって伝えられていたそうです。仏教では「結集《けつじゅう》」と言いますが、お釈迦様の入滅後、弟子たちが集まって説法の内容の統一を図る会議が何度か開かれています。その中で、お釈迦様が説いておられたことの内容を確認し、みんなで暗記し、伝承していくということが行なわれていました。とはいえ伝言ゲームのように、やはり口伝では内容が正確に伝わりません。そのため仕方なく文字にしたのでしょう。

山口　当初、文字にしなかったのには理由があるのですか。

平井　それについては諸説あります。一つには、教えというものはお釈迦様の心そのままであり、限りない広がりを持つものだから、文字にして意味が限られてしまうことに抵抗があった。

また、仏教では「対機説法」と言いますが、お釈迦様は相手の能力や資質に合わせて教えを説きました。同じ内容でも、大人に対して説く場合と、子どもに対して説く場合では、当然、言い方が違ってきます。ですから厳密に言えば、仏教の教えとは、その場所、そのとき、その人に限定されるものなのです。ところがそれが文字になってしまうと、後世の人は書かれているとおりにしか理解しないし、書かれている以外のことは禁ずるというような発想にもなりかねません。そうしたことへの危惧もあったと思います。

1　不立文字　悟りの境地は言葉で教えられるものではなく、修行を積んで、心から心へ伝えるものであるということ。言葉や文字に囚われてはいけないという禅宗の基本的立場を示した語。

お寺やお墓が伝えてきた普遍的な真理

山口　なるほど。文字にされたことで教えの内容も、また仏教そのものも変容してきたかもしれないですね。一方で経典という形になったからこそ、インドからはるばる日本まで教えが広まったという側面もあると思います。

ご住職は全生庵の跡継ぎとして生まれ、幼い頃から仏教を取り巻くさまざまなものを肌で感じてこられたと思いますが、以前と比べて日本人の仏教との向き合い方が変化してきたという感覚はおありですか。

平井　近年、これはお寺だけの問題ではなく核家族化や高齢化などの社会の変化も大きく影響していると思われますが、葬儀や法事を行なわない方が増えてきました。また最近は虐待や親族間の殺傷といった事件の報道が増え、実際にその件数が増えているのかどうかはわかりませんが、家族のつながりが薄れているように感じます。おそらくこれまでは、お墓参りや法事などを、皆さんあまり深く考えずに長年の習慣として行なってきたのだと思います。それが知らず知らず家族やご先祖様とのつながりを培うことになっていたのでしょう。人間は過去からの連綿とした命のつながりの上に生まれてくるもので、そうした普遍的な真理を伝えるのがお寺やお墓なのですが、そのことを果たして伝えきれているのか。伝わっていないのであれば、これからどう説いていくのかが、私たちに問われていると感じます。

生活の豊かさとリンクしない幸福度

山口　人生の普遍的な真理が見失われてきた背景には、やはり、終戦を境にそれまでの価値観が否定されたことが遠因となっているのでしょうか。

平井　それはあるかもしれません。学校教育でも、生き方や人としてのあり方といった心の部分よりも、国語・算数・理科・社会などの生きるための技や手段に重きが置かれてきた結果、根っこがなくて枝葉だけが茂っているようなアンバランスな状態になってしまいました。確かにいまは物質的には豊かになりましたが、精神的には貧しく、脆くなってしまい、その歪みがさまざまな問題となって表出しているように感じています。

山口　高度経済成長期からバブル景気の時代までは経済がすべてで、テクノロジーとエコノミーでユートピアができると信じられていたわけですが、それによって本当に豊かになったのか、幸せになったのか。ある有名な調査によると、日本国民の幸福度は昭和四〇年代からほとんど高まっていないようです。経済的に豊かになったのに幸せにはなっていない。そう考えると、そろそろ「めざす社会像」のアップデートが必要なのかもしれません。これからの社会や暮らしのあり方を経済以外のモノサシで考えるときが来ているのではないかと思います。

平井 本当にそうですね。新しい価値判断の軸や拠り所のようなものが見えないことが、何か閉塞感につながっているのかもしれません。

個の力がより問われる時代に

山口 かつては血縁や地縁による自然発生的な共同体と、そこに祀られている氏神様や地域のお寺が、心の拠り所として機能していました。戦後の経済成長の中で、それらに代わって終身雇用制の会社が、ある種の共同体としての機能を果たすようになった。ところがバブル崩壊後、会社もまた一生頼れる存在ではなくなり、本当に拠り所がなくなってしまいました。

こうした時代だからこそ、おっしゃるような普遍的な真理、根っこの部分の大切さが増していると思います。欧米ではやはりキリスト教がその役割を担っていて、日曜日に教会へ行き、黙想している人の姿も多く見かけますが、今日、お寺の存在や坐禅というものが持つ可能性についてはどのようにお考えでしょうか。

平井　おっしゃるとおり、拠り所としての共同体が消えつつあるのは確かですね。しかしだからこそ、集団というものが個の集まりであることを再確認すべきではないでしょうか。

これまでは何となく最後に頼れるものがあったけれど、これからは一人ひとりが精神的に自立・独立しなければならないという覚悟、個の力というものが、より問われる時代になったと言えるのかもしれません。

東日本大震災の後、「絆」という言葉が盛んに言われましたが、「絆」とは一方がもう一方にもたれかかるような関係ではなく、一人ひとりがしっかりと自分の足で立ちながら、互いに手をつなぐことで初めて生まれるものです。災害時などの支援は別として、個々人が精神的に自立しない限り、真の意味で支え合うことはできないはずです。

その精神的な自立において、坐禅が助けになるかもしれないと思っています。坐禅は、自分は何者であるのかを知る方法、自分の心と向き合う方法を教えてくれるものです。自分の内面と向き合うことは、外界からの刺激がある状態では難しいでしょう。スマートフォンなどで絶え間なく外からの情報に晒されている現代人には特に、静かに坐って、普段は外側ばかりに向いている意識を自分自身の内側に向ける時間が必要なのではないかと思います。

山口 だから坐禅会に力を入れておられるのですね。

平井 はい。当寺では月～土曜日は午前五時～七時、日曜日は午後六～八時とほぼ毎日行なっています。正直、坐禅会というのはお寺の運営という視点から見れば忙しさが増すだけなので、このようなお寺は少ないでしょう。でも、早くに亡くなった先代からこの寺を引き継ぐとき、私は「坐禅のことは断らない」と覚悟を決めてしまったのです。いまでは大学やビジネススクール、また企業にも伺って坐禅会を行なっています。

文化として定着し始めている禅

山口 ビジネスの世界ではよく日本とアメリカの企業を比較するということが行なわれますが、いまでは日本企業のほうが遅れている領域は、もうほとんどないと言えます。ただし例外は「人と組織」の領域です。

例えば、西海岸の代表的なＩＴ企業は禅をベースにしたマインドフルネスを、集中力や思考力、決断力、創造力などの向上に生かしています。坐禅とマインドフルネスは厳密には異なるものだと思いますが、ビジネスリーダーを育成するうえでメンタルトレーニングが欠かせないと考えられているのです。

一方、日本企業の人材育成はこれまで業務に直接的に関わることが中心で、マインドフルネスを勧めても、「何の効果があるのか」「すぐに役立つものなのか」などと言われてなかなか理解されませんでした。経済学者の小泉信三に「すぐに役に立つものは、すぐに役に立たなくなる」という有名な言葉がありますが、私はこの「何の役に立つのか」といった考え方が物事を窮屈にしていると考えています。

平井　ですが、ご住職が企業で坐禅会をされていると伺って、禅やマインドフルネスに関する見方が日本でも変わりつつあるのではないかと感じました。
じつはこれから伺う会社も、社長さんご自身が一〇年以上前から当寺で参禅していて、禅の精神をよく理解されているのです。そのため、「何の役に立つのかは、続けていくうちに気づいてくれればいい」と、会社での坐禅会も強制ではなく、参加したい人が集まって行ないます。ただその彼も「一〇年前だったら会社でも反対されただろう」と言っています。

おっしゃるようにグーグル社がマインドフルネスを取り入れていたり、スティーブ・ジョブズが禅に傾倒していたりといった情報があり、近年は逆輸入のような形で禅への関心が高まっています。ある大手銀行で私が行なっている坐禅会でも、毎回三〇名の定員に対して一〇倍以上の申し込みがあります。宗教というよりも東洋思想的なものとして捉えられているため、参加のハードルが低くなっているのでしょう。いずれにせよ、文化の一つとして定着しつつあるのは、私たちにとってとても嬉しいことです。

坐るとわかってくる自分のこと

山口 ご住職自身は小さい頃から坐禅をされていたのですよね。お寺を継ぐ立場とはいえ、子ども心にはきっと辛かったでしょう。お父様から坐禅をする意味などについてお話はあったのでしょうか。

平井 ありませんでした。「何で坐禅するの？」と聞いても「坐ればわかる」の繰り返

山口　しでした。臨済宗の修行道場でも、「坐ればわかる」としか言われません。もっとも、いまは私が「坐ればわかる」と言っているわけですが（笑）。

平井　これは曹洞宗の言葉ですが、「只管打坐《しかんたざ》」*2ということでしょうか。もちろん実際、坐らなければわかりません。やはり言葉にしないほうがいいのです。また「坐ればわかる」と言われて自分で見つけるほうがある意味おもしろいですよね。

ただそうは言っても、やはりいまの時代、それだけでは通じないので、導入として「自分のことがわかるようになるよ」と言っています。

「自分のことはわかっています」と皆さん言いますが、ほとんどは「自分ってこういう性格」とか、「私ってこういう人間」という自分の思い込みです。仮に知り合い一〇人に「私はどんな人間か」と聞いてみたら、全員が違うことを言うでしょう。そのとき、どの自分が本物なのか。あの人の言う自分、自分の思う自分、どれが本当の自分なのか。「自分が思う自分が本物に決まっている」と言うかもしれませんが、「それならば、他人から評価されたり叱られたりしたときに、嬉しかったり落ち込んだりするのはなぜですか。もし自分というものが本当にわかっているなら、他人の評価に一喜一憂する必要がないはずですよね」と言うと、皆さん腑に落ちるようです。「だから坐るのです。自分は何者であるか、わかるために坐るのです」というふうに言っています。

2　只管打坐　雑念をいっさい捨て去って、ただひたすら坐禅を組み、修行すること。

自分の心の内なる仏に気づく

山口　自分を知ること、セルフアウェアネスはビジネスの世界でも注目されていますが、その中で「能力の低い人ほど自己評価が高く自信があり、実力のある人ほど自分の能力に疑いを抱いている」という心理学の研究があります。

平井　なぜ能力が低いのに自己評価が高いのでしょう。

山口　能力の低い人は自分のレベルを正しく評価できないうえ、他人のことも正しく評価できないため、自分を過大評価してしまう。でも実際は仕事はできていないので、人事評価は当然低い。すると会社や上司を逆恨みしたりする。逆に優秀な人たちは、実際よりも少し自分の実力を低く評価する傾向にあるというのが、「ダニング＝クルーガー効果」と呼ばれるこの理論のおもしろいところです。
これらの研究を踏まえ、状況に対して適切に対応できるリーダーを育成するためのカギがセルフアウェアネスであると言われています。坐禅の目的は自分を知ることにあるというお話と符合するので、興味深く感じました。

平井　それはおもしろいですね。

山口　ご住職がおっしゃったように、自分が何者であるかを知るというのは、「自分はこういう人間だから」という思い込みをなくすということなのですね。

平井　そうですね。禅に限らず仏教ではよく「仏《ほとけ》」とは「ほどける」ことであると説かれます。例えば、ここに水の入ったコップが置いてあれば、ほとんどの人は水を飲むためのコップだと認識するでしょう。しかしそれに一輪の花を活けて花瓶にする人もいる。水があってちょうどいいと、灰皿にする人もいるかもしれません。ある人はコップ、別の人は花瓶、もう一人は灰皿だと言う。このように同じものを見ても人それぞれ「これはこうだ」と思い込むものです。世の中の争いのほとんどは、そうした思い込みに起因しているのではないでしょうか。そのような思い込み、固まった心のもつれがほどけて、「これはコップでも花瓶でも何にでもなるじゃないか」ということに気づけば、争いの種はなくなります。心が平らかで整った状態、つまり「ほとけ」というものになる。

マインドフルネスとは、そういう思い込みをいったんすべて流してしまうことをめざすものではないでしょうか。対して禅は、仏教ですから、取り除いた後に自分の心の中にある「自在な仏なるもの」に気づくことをめざすのです。

お釈迦様は悟りを開いたとき、「一切衆生悉有仏性《いっさいしゅじょうしつうぶっしょう》」、生きとし生けるものはみんな生まれながらにして仏になり得るとおっしゃいました。しかし、いろいろな煩悩や固まった心が、内なる仏の存在に気づくことを妨げているのです。それらを修行によって取り除いていけば、いちばん底に仏が残るということに気づく。ここがやはり仏教である禅の精神の核です。

ころころ転がるから「心《こころ》」なのだとも言われますが、心は水のように形を変える自由自在なものです。それを好き嫌いや損得、是非や善悪で呪縛して、嬉しい、悲しい、苦しいといった状態で固めてしまうから不自由になる。その固まりをほどく方法を教えてくれるのが、仏教であり、禅であると考えています。

「無心」ではなく「一心」になる

山口　ご住職は、坐禅をすれば無心になれるわけではないとも書かれていますね。「無心」とは「何も考えない」ということではないと。

平井　ええ。「何も考えない」というのは不可能ではないでしょうか。これも言葉の難しさですが、私は無心というより「一心《いっしん》」になると表現しています。一心とは、いま、自分が行なっていることに対して集中する、心と体が一つになっている状態です。

あるいは「初心に還る」と言ってもいいかもしれません。山岡鉄舟先生[*3]は「剣術の妙処を知らんとせば、元の初心に還るべし。初心は何の心もなし」と書いておられます。仕事でも坐禅でも、最初に「さあやるぞ」と思った心には雑念がありません。「人から見られるからうまくやってやろう」とか、逆に「なぜこんなことをしなければいけないのか」といった雑念や疑いの念がない「素直な心」が初心です。

われわれは修行道場へ行くと、まず徹底的に叱られるのですが、修行とはまず「自分」というものを否定し、捨てることから始まるからです。「自分が」という心の固まりをほどくことで、多少揺れ動いても最後には元の場所へ還る、自在でぶれない心を養うことができるのです。

3 山岡鉄舟 幕末から明治時代の幕臣、政治家で、「幕末の三舟」の一人。剣・禅・書の達人としても知られ、一刀正伝無刀流（無刀流）の開祖。徳川幕末・明治維新の際、国事に殉じた人々の菩提を弔うために一八八三（明治一六）年に全生庵を建立。

まずは呼吸を整えることを意識する

山口 坐禅に興味があっても、近くに坐禅できるところがない、時間がないという読者のために、日常生活の中でできる禅的な心がけなどがあれば、ぜひご教示ください。私も実践してみたいと思います。

平井 いちばん手軽なのは、姿勢と呼吸です。「一寸坐れば一寸の仏」と言われるように、ちょっと椅子に腰掛けて姿勢と呼吸を整えるだけでも坐禅はできます。本当に一息二息でも、どんな場面でもまずは呼吸を整えることを意識してみるとよいでしょう。坐禅で最終的にめざすのは自分の心と向き合うことですが、形がなく目にも見えない心というものにいきなりアクセスするのは難しい。精神医学では、どんなに怒りを感じても六秒間抑えれば気持ちが落ち着くとも言われます。姿勢を整えれば呼吸が整い、呼吸を整えれば、心が整います。

坐禅は一種の型、方法です。坐禅で培った自在な心を日常生活に生かして初めて生きてきます。逆に言えば、日常生活があってこその坐禅ですから、日常から姿勢と呼吸を通じて自分の心を整えることを意識すればよいわけです。また坐り方も一般の方はあまり窮屈に考える必要はありません。最初のうちは、背筋が伸びて、自分の呼吸が「丹田」（へその五センチくらい下）のあたりにすっと落ちていくことを意識できれば、それでよいと思います。

自分の心と対話し、自分自身を見つめ直す

山口　戦前の日本に滞在したオイゲン・ヘリゲルというドイツの哲学者が、東北帝国大学で教鞭を執っていた際に、弓道の精神を極めることで禅というものを理解していった体験をつづった『弓と禅』という有名な著作があります。彼は、禅の精神性が日本文化の根底にあるものと通じることを見出したわけですが、やはり禅を通して到達する普遍的な真理は、日本文化に限らず、ビジネスやスポーツなど、

平井　他の分野を極めることにも通じるものですね。山岡鉄舟先生は、禅というものは武人が行なえば武道になり、芸人が行なえば芸道になり、商人が行なえば商道になると書いておられます。茶道、華道、剣道、柔道など、「道」というものの真髄は、それらを通して人格を磨き完成させていくところにあります。単に技術や強さを追い求めるだけではない。それが「道」に通底する精神ですね。仏教ではよく「自利利他」と言いますが、自分も他人も利することをめざす精神は、おそらくビジネスの世界においても大切なことでしょう。

山口　弓の修行自体が禅の修行にもなり、禅の修行自体が弓道を極めることにつながっているとわかったことが、ヘリゲルの悟りだったわけですね。そう考えると、私たちも仕事や生活の中に禅の精神を生かすことができれば、よりよく生きられるわけですね。

平井　そうです。禅というのは基本的に人が人になるための修行なのです。人としてどう生きるかを考える、そのために自分の心と対話し、自分自身を見つめ直すのです。

自己との対話というのは、自分の心を感じるだけでなく、はるか昔から自分にまで連なる、生命のつながりを感じることだと思います。私の部屋には父の写真が飾ってあり、見るといつも「天知る、地知る、己知る」という、子どもの頃から父に言われてきた言葉を思い出します。自分に恥ずかしくない生き方をするのが、人としていちばん大切なことだと。そうした父の言葉や、母や禅の師匠をはじめとする多くの方々から教えてもらったことがいまの私をつくっている。そう考えると、自分自身と対話するというのは、その方々と対話することでもあると言えます。

禅は坐禅や写経のように孤独な修行を通して、自立して一人で生きられるようにすることを求めますが、同時に人は一人では生きていけないことに気づかせてくれます。小さな島国である日本では、自然や他人と共生する「和合」ということを昔から大切にしてきました。静かに坐って己を見つめることで、自立して一人で生きられる力を養う。と同時に、己を通じて生命のつながりを知り、また「自分が」という思いを捨てることで争いをなくし、人と和合していく。人らしく生きるために欠かせないことを、禅は私たちに教えてくれるのです。

リベラルアーツの特徴の一つに「事後性」という点があります。「事後性」というのは、つまり「事前に効果はわからない」ということです。一方で、企業の世界においては、基本的にすべての選択肢は現在の貨幣価値に換算され、比較されます。これはつまり、現時点で効果のはっきりしない選択肢は、そもそも選択の対象として検討すらされない、ということです。そういう点でリベラルアーツと経済というのは真逆の性格を持ったものだと言えるかもしれません。

今回、平井住職にお話をお伺いするに当たって、ご住職はまず「つべこべ言わずにまずは黙って坐ってごらん」と説いています。情報が洪水のように流れ、さまざまな理論が「これが最新だ」と喧しく宣伝される現在の世界において、私たちはつい頭デッカチになり、あれがいいこれがいいと右往左往してしまいがちです。しかし、このような態度は「時間の逐次分散投入」という状態を招いてしまいます。逐次分散投入というのは軍事において最も忌避される「スジの悪い戦略」ですが、じつはそのような状況に今日、多くの人々が陥っているのです。このような世界において、いま世界的に「坐禅」に代表される瞑想を軸としたエクササイズが見直されているのは、ある意味で当然だと言えるのかもしれません。

スタンフォード大学の神経学者、ケリー・マクゴニガルは科学的な見地から、坐禅や瞑想の効果として「注意力、集中力、ストレス管理、衝動の抑制、自己認識と言った自己コントロールのさまざまなスキルが向上する」と述べています。これらは現在の複雑な社会をリードしていくことを求められている人々にとって必須のものと言えるでしょう。このマクゴニガルの指摘を総合的に表現しているのが、平井住職の「自分のことがわかる」という言葉だと思います。ここに「禅」と「現代マネジメント」の交接点があります。

インタビューの際、平井住職が「自分のことがわかる」という言葉を挙げられたとき、私は大変に驚かされました。というのも、ここ一〇年ほど、先進的なビジネススクールの教員のあいだでは「セルフアウェアネス」こそが最も重要なエグゼクティブ育成の課題になっているからです。現在、多くの企業でマインドフルネスに関するトレーニングが行なわれていますが、これはセルフアウェアネス＝自己認知の重要性が認識されてきているからです。

ビジネスを率いるリーダーを育成する、というのがビジネススクールの目的ですが、では今日求められるリーダーの素養として、最も重要度の高いものはなんでしょうか？　私が以前在職していた米国の組織コンサルティング会社、コーンフェリーは、全世界で実施しているリーダーシップアセスメントの結果から、変化の激しい状況でも継続的に成果を出しつづけるリーダーが共通して示すパーソナリティとして、この「セルフアウェアネス＝自己認識」の能力が非常に高いということを発見しました。

セルフアウェアネスとはつまり、自分の状況認識、自分の強みや弱み、自分の価値観や志向性など、自分の内側にあるものに気づく力のことです。現在、多くの教育機関・研究機関でもセルフアウェアネスの重要性は高まっており、例えばスタンフォード大学のビジネススクールでは、教授陣が構成する評議会において「これからのビジネスリーダーの素養として、最も重要な要素は何か」というテーマで議論したところ、満場一致で「それはセルフアウェアネスである」という結論に至っています。そして、これこそがまさに平井住職のおっしゃられた「自分のことがわかる」ということなのです。

さらに加えれば、「禅」と「マネジメント」と「リベラルアーツ」の三叉交差点で考えてみた場合、平井住職のおっしゃられていた「仏とはほどけること」という言葉も、私にはとても重いものに思えました。本書第1章において中西輝政先生は「リベラルアーツ」の「リベラル」を「縛りがないこと」と定義されておられます。「縛りがない」というのはまさに「ほどける」ということと同義です。国際政治と臨済宗という、まったく異なる領域で道を歩んで来たお二人が、究極の知性のあり方としてほぼ同じアナロジーを用いていることには驚かされます。

このような知性のあり方は、さまざまな常識がことごとく解体されていくいまのような時代において、極めて重要です。私は昨年（二〇二〇年）一二月に著した『ビジネスの未来』において、私たちは「コロナ前後」という短期的な端境期に生きていると同時に、人類史的な意味での変曲点を生きていると指摘しました。この変曲点を通過する過程で、近代以来、私たちを、まさに「縛って」きた数多くの規範や価値観が解体されていくことになるでしょう。そのとき、時代にそぐわない規範や価値観からどれだけ自由でいられるかは、変化していく状況に対する個人の適応力や柔軟性を大きく左右することになるでしょう。このような時代だからこそ「自由になる技術」としての坐禅の重要性が見直される、そのような対談でした。

第6章

組織の不条理を超えるために

対談

菊澤研宗

菊澤 研宗（きくざわ けんしゅう）

1957年生まれ。慶應義塾大学商学部卒業、同大学大学院商学研究科修士課程修了、同大学大学院商学研究科博士課程修了。ニューヨーク大学スターン経営大学院客員研究員、カリフォルニア大学バークレー校ハース経営大学院客員研究員、防衛大学校教授、中央大学教授を経て慶應義塾大学商学部・大学院商学研究科教授。経営哲学学会会長、経営学史学会理事などを歴任。現在、経営行動研究学会理事、経営哲学学会理事、戦略研究学会理事、日本経営学会理事。著書に、『比較コーポレート・ガバナンス論』（有斐閣、第1回経営学史学会賞）、『組織の不条理 日本軍の失敗に学ぶ』（中公文庫）、『改革の不条理 日本の組織ではなぜ改悪がはびこるのか』（朝日文庫）など多数。

近年、経営学、組織論やマネジメント論などを取り入れることにより、日本の企業・組織のあり方が大きく変わりつつある一方、依然として繰り返される不正やデータ改竄《かいざん》などの不祥事。

著書『組織の不条理』において日本型組織の失敗の本質が「合理的な失敗」であることを鋭く指摘した菊澤研宗氏は、根本的原因に気づき、対策しなければ失敗は繰り返されると語る。人と組織の関係が改めて問い直されるいま、菊澤氏が勤める慶應義塾大学三田キャンパスを訪ね、合理的な失敗＝不条理がなぜ起きるのかを解き明かしていただくとともに、組織の不条理から抜け出すためのヒントを探っていく。

首謀者がはっきりしない日本型組織

山口　菊澤先生は、特に組織における不条理現象を大きな研究テーマとしておられ、一〇〇〇年に上梓された『組織の不条理』は大きな反響を呼びました。私のように組織と人事に関する研究や実務に携わってきた者にとっては、たいへん示唆に富む内容でした。

ご著書の中で先生は、日本型の組織が「合理的に失敗する」ということを指摘され、警鐘を鳴らされましたが、その後二〇年経った現在も組織の不正やコンプライアンス違反のような問題はあとを絶ちません。そうした現状をどうご覧になっていますか。

菊澤 最近の企業不祥事に関しては、多くの方々から質問をいただいています。皆さん一様に、企業はコーポレートガバナンスシステムを改革してきたはずなのに、なぜその効果が出ていないのか、疑問に感じておられるようです。

それに対して、僕はいつもこう答えています。「根本的な問題は、いつも首謀者がはっきりしないことにあります。それこそ日本の組織の特徴なんですよ」と。この問題はいまに始まったことではなく、丸山眞男[*1]が指摘しているように、旧日本軍の失敗の原因でした。それが、現在の不祥事にも通底しているということです。

二〇一五年に発覚したフォルクスワーゲン社の排ガス不正問題では、誰の指示・命令があったのか明確にされ、CEO、監査役会会長、発覚時の社長の三人が起訴されました。一方、日本でもデータ改竄や不正隠蔽《いんぺい》などの問題は数多く起きていますが、ほとんどのケースで指示・命令系統がはっきりしていません。上層部は、「何かやっているとは認識していたが、私たちは指示・命令はしていない」と言い、下の人たちからは「そんな空気だった」という言葉が出てくる。こうして、裁判の対象は個人ではなく、法人となる。この本質は、昔からまったく変わっていないと思います。

山口 後で聞いてみるとみんなが「私は反対していた」と言っているのに、なぜか開戦していたという、太平洋戦争と同じ構図ですね。

1 **丸山眞男** 一九一四〜九六年。政治学者、思想史家。一九四六年雑誌「世界」に発表した論文「超国家主義の論理と心理」で戦前の日本の政治構造や精神風土を分析。戦後の民主主義思想を主導した。大阪出身。『日本政治思想史研究』『現代政治の思想と行動』『日本の思想』『忠誠と反逆』など著書多数。

合理的に行動することが不条理を招く

菊澤 首謀者、責任者がはっきりしなければ統治される対象も不明確なので、いくらよいガバナンスシステムをつくったところで効果がありません。この日本型組織の問題をどこかで打破しなければならない。

そのために、まず必要なのは、僕が昔から言っているように「不条理」が起きていることを理解することです。ここで言う不条理とは、「人間あるいは人間組織が合理的に失敗すること」を意味しています。不条理にはいくつかのパターンがあるのですが、要するに個人個人がその時々に、合理的・論理的だと判断して行動した結果、組織全体が非合理的あるいは非効率的になってしまい、失敗や不正が起きるということです。

僕は最近、そのような人間の行動原理を「損得計算原理」と呼んで注目しています。僕が専門としてきた新制度派経済学を構成する理論の一つに、「取引コスト理論」があります。人間は、何か行動しようとするときに損得計算を行ない、そのコストの中に人間関係上の無駄な駆け引きも取引コストとして含めて計算します。そして、その計算結果がプラスであれば行動し、マイナスなら行動しません。シンプルな行動原理です。

皮肉なことに、この会計上には表れないという意味で見えない取引コストは、頭のいい人ほど多く見えてしまうのです。たくさんのコストが見えるために、マイナスが大きくなりすぎて、動かないほうが得だ、隠したほうがいい、言わないほうが損得計算上、合理的となってしまう。そして、頭のいい人が集まると、議論しなくてもみんなの計算結果が自然とそういう方向に一致します。上からの明確な指示がなくても、下の人たちがそういう方向に計算結果が一致して、自然と組織的な不正が起きてしまうのです。

山口　日本における組織の不条理は、決して無知や非合理な考え方のために起きているのではなく、むしろ一人ひとりがこのように取引コストのような見えないコストを忖度して損得計算し、合理的に行動した結果として起きています。この失敗の構造が変わらない限り、不祥事も減らないのではないでしょうか。

いままで組織の不正の原因は、「成員が愚かだった」という説明がなされることが多いのですが、それだと「私たちは愚かでないので大丈夫です」ということになってしまうわけですね。それを先生は、みんなが賢く、合理的に考えたがゆえに不正が起こると説明されている。合理が非合理を生み出すという意味で、不合理ではなくて不条理なんだということですよね。

菊澤　そういうことですね。

「目的合理性」だけではうまくいかない

山口 組織の不条理現象は、先生が指摘されているように太平洋戦争における失敗の原因であり、さらには現代における失敗の本質にもつながっているということですね。一方で歴史を振り返ると、明治の日露戦争時と太平洋戦争における組織の意思決定、高度経済成長期の組織と現代の組織における意思決定、それぞれ時代によって違いがあったかどうかということを伺いたいのですが。

菊澤 時代背景や環境などの要因もあるものの、僕がいちばん指摘したいのは、リーダーの資質という問題です。日露戦争時と太平洋戦争当時、高度成長期と現代、それぞれを比べると、後者のリーダーには、やはり欠けているものがあると思います。

先ほどお話ししたように、人間は損得計算をして経済合理的に行動するものです。何かを行なうとき、おそらく九割以上のケースで損得計算をして、得ならば行動するし、損ならば引くという行動をしています。特に近年は、アメリカ流の経営学、いわゆる経済合理主義的な経営の影響で、企業活動においてその傾向が強まっています。経済合理主義では、ウェーバーの言う「目的合理性」を追求することで企業経営はうまくいくと信じられていますが、それが逆に不条理を招いてしまう可能性があるのです。

そこから脱するためにリーダーに求められるものが、「主観的な価値判断」です。

山口 先生が以前からおっしゃっているように、一八世紀のドイツの哲学者、イマヌエル・カントの「理論理性」と「実践理性」の違いですね。カントの理論理性はウェーバーの「目的合理性」であり、これに従って行動するのは因果法則に従っているだけだというわけです。一方の実践理性は「価値合理性」であり、主観的な価値判断を行なう理性です。ここでリーダーに必要なのは実践理性のほうというわけですね。

システムに適合した人だけが出世する

菊澤 そうです。多くの優秀なリーダーは理論理性の段階で止まってしまっています。例えば、ここ慶應義塾大学の学生は、間違いなく全員が即座に損得計算のできる人たちです。でも、その計算結果に従うことが善いか悪いか、もう一段上から主観的に価値判断できる人は一〇人に一人いるかどうかでしょう。

山口 僕は、「たとえ損得計算の結果がプラスでも、それは善くないと価値判断して抑止できるかどうか」、ここにリーダーとしての真の資質があるのだと考えています。

でも、そういう判断のできるリーダーは少なくなっていると感じています。明治のリーダーは武士道を学んでいましたから、道徳的優位性や儒教の五常[*2]を備えているからこそ自分が人の上に立っているという意識が身についていました。戦後に活躍し、名経営者と呼ばれた方々の多くも、戦前の教育できちんとリベラルアーツを学んでいました。しかし現代のリーダーのほとんどは、そうした教育を受けていないため、人の上に立つにあたっての哲学がないのだと思います。だから、自分の価値判断の拠り所がなく、自信が持てないのかもしれません。

今日の企業においては、基本的に業績が優れている人が出世しますね。でも、経済合理性から判断すると、業績を上げている人ほど上にいかずに現場にいたほうがじつは効率的なわけです。

菊澤 出世のパラドックスですね。それで人事の方々も悩んでおられるようです。人事研修で、「リーダーの条件は何ですか」と聞かれたとき、僕はこう言っています。「主観的に価値判断して、それに対する責任がとれるかどうか」だと。ところが、それがなかなか難しい条件なのです。

山口 お話を伺って改めて思ったのは、明治や戦後すぐは社会システムががらりと大きく切り替わった時代で、過去と切り離された環境だったからこそ、自分の意思、価値観を発揮できる人が活躍できたと言えるのかもしれません。太平洋戦争時や現在のリーダーは、社会や組織のシステムが固定化して安定してきた中で、それに上手に適合した人たちなのでしょう。そう考えるとやはり時代は違えども、両者は構造が似ていますよね。

菊澤 まさにご指摘のとおりだと思います。社会や組織が安定して人事制度や教育制度が固まってくると、人はそれを考慮しながら損得計算し、目的合理的に行動するようになっていきます。だから、個人も組織も損得計算だけに長けていくようになるのでしょう。まさに、ウェーバーのいう魂のない鋼鉄の檻のような人間組織が形成されるのです。

山口 ハーバードの先生に、ジェフリー・フェファーという組織論の研究者がいて、彼は「出世と人格は関係ない」「出世と能力は関係ない」といった身も蓋もないことを言っています。出世するためには、まず上司に媚を売ったり、権力を持っている人を見抜くことが重要だと言っている。

私は彼の書籍を読んでいると非常に腹立たしくなってくるのですが、何が腹立たしいかというと、研究者としての態度です。

フェファーは研究のテーマとして、例えばどうやったら組織内でパワーを持てるかということを論点に立てて、社会学者として実証研究をやった結果、能力とかリーダーシップのクオリティと権力には関係がないということを明らかにしていくわけですね。

ここまではまだいいのです。いまの世の中があるシステムによって動いていて、このシステムには非常に問題があるが、その問題のあるシステムの中で出世しようと思ったらこういうことが大事だということが研究の結果わかったという話と、それを実際に学生に教えてやらせるという話は別でしょう。

ジェフリー・フェファーの場合は後者の態度で、いまのシステムではこうすれば出世するということを学生に教える。これでは問題のあるシステムの拡大再生産にしかならないわけです。まさに菊澤先生と逆のアプローチだと思います。

菊澤　僕はいまの話を聞いて、とてもアメリカ的だという気がしました。僕はもともとウェーバーとかドイツ的なことを学んでいたので、経営、組織、支配といったことを見るときに、パワーだけじゃダメだと考えます。フェファーが言うパワーは、つまり権力は、業績と関係します。業績があるとパワーがついてくるので強制的にみんなに言うことを聞かせられるのですが、やはりそれだけじゃダメなんです。やっぱりオーソリティ、つまり向こうから自発的に従ってくれるという権威が補完されないとうまくいかないのです。パワーだけだといつか仕返しがくるかもしれません。

結局、パワーというのは目的合理的なんです。これに対してオーソリティというのは価値合理性なんですよね。やっぱりアメリカ人はどうしてもパワーに行きたがる。それこそが経営学の合理性だと考えてしまうことが多い。ところが人間世界はそうはいかないです。そんな経営をしていると、その経営者に近づいてくる従業員もそうですし、それから株主もそうですし、みんな損得計算してくる人しか周りにいなくなる。「得だから株を買う」とか、あるいは「この会社にいると得なのでいる」とか。だから結局、赤字が出たらみんな逃げていく。危機感を共有できないんですね。

2 儒教の五常 儒教の教えで、「仁・義・礼・智・信」のこと。「父子・夫婦・君臣」のことを意味する「三綱」とまとめて「三綱五常《さんこうごじょう》」とも言う。三綱が具体的な人間関係に対し、五常は抽象的な道徳を教えるもの。

儲けよりも理念をとったグーグル社

山口 菊澤先生は、組織の不条理につながる「合理的な」判断とは、サイモン[*3]の言う「限定合理性」であるとおっしゃっていますね。つまり、損得計算をして合理的に判断しようとするけれども、人間には認識能力の限界があるために、ある目的に対して限られた合理性しか持ち得ない。その結果、悪手になるような判断をしてしまうことがある。この限定合理性の壁を越えるカギが、カントの言う「自律的行動」にあると以前から説かれています。これは、先ほどおっしゃっていた主観的な価値判断と同義であると思います。

この話から思い浮かぶのがグーグル社の例です。二〇一八年、グーグル社はアメリカ国防省と契約を結んでいた軍事用ドローンに搭載するＡＩの開発計画を打ち切ると発表して話題となりました。開発計画が社内の大きな反発を招き、四〇〇〇人を超える従業員の反対署名が集まったほか、一部では退職者も出たからのようです。反対した従業員からすれば、世界中から情報格差をなくすというグーグル社の理念と軍事支援の間にどんな関係があるんだ、ということだったのでしょう。

菊澤　これをきっかけに、グーグル社はＡＩの開発や適用に関する指針も発表しました。ＡＩは「社会にとって有益である」ためのものと位置づけ、不公平なバイアスを防ぐことや、安全性確保、説明責任、プライバシー保護などに配慮するほか、人に危害を加える分野には適用せず、武器用のＡＩの開発はしないという姿勢を明示しています。

山口　素晴らしいですね。

アメリカにとって国防は非常に重要なイシューで、防衛産業の市場も巨大ですから、ドローンにＡＩが搭載されたら莫大な利益が生まれる可能性もあったでしょう。でも、彼らは儲けよりも企業理念を基準に考え、その機会を自ら放棄すると決めた。

一方、日本では大企業が保険商品の不正販売問題を起こすなど、限定合理性から抜け出せずに組織の不条理を露呈しています。自律的行動ができていないために、あのような問題が起きているのだと思います。

3 ハーバート・アレクサンダー・サイモン 一九一六〜二〇〇一年。アメリカの政治学者・認知心理学者・経営学者・情報科学者。心理学、AI、経営学、組織論、言語学、社会学、政治学、経済学、システム科学などに影響を与えた。AI研究のパイオニアとも言われる。大組織の経営行動と意思決定に関する生涯にわたる研究で、一九七八年にノーベル経済学賞を受賞した。

損得計算だけでは解けない問題

菊澤 カントの言う「自律的行動」を実現するには、実践理性つまり価値判断が必要となります。

例えば、ある人が誰かをいじめている場面に出くわしたとき、「その行動は悪い」と価値判断すれば、次に「では、どうすべきか」という形で実践理性がわれわれに自律的な実践行為を求めてきます。これに対して、損得計算原理に基づく理論理性は、まず「止めに入ることは損か得か」を問い、「もし損ならば誰も介入しないだろう」という形で、他律的で他人事のような認識にとどまってしまう。したがって、リーダーをめざす方に提案したいのは、まず徹底して理論理性的に損得計算をし、そのうえでその結果を実践理性的に価値判断して自律的に実践してほしいということです。その損得計算の結果と、「真善美」のうちの「善」と「美」、善い悪い、好き嫌いといった自分の価値判断は、大抵、一致するものですが、ときどきずれが生じます。そのずれこそが、人間としての自分の見せ場であると思って、楽しんでほしいと思います。

つまり、より低次の理論理性的な損得計算の結果とそれを価値判断するより高次の実践理性の階層の違いを、常にリーダーには意識していただきたいのです。

中途半端に頭のいい人は、損得計算で解けない問題はないと考えがちです。また逆に、損得計算をしないですぐ主観的に価値判断をすることはもちろん危険です。自分の感情のままに行動するようなリーダーであってはなりません。損得計算に従う客観的な行動をあえて主観的な価値判断によって制御して行為する必要があるのです。

山口　常に重層的に考えることが大切なのですね。

菊澤

そのために、損得計算を極限まで行ない、世の中には論理的には解けない問題があることを知ってほしいのです。身近な例で言えば、年老いた親の延命治療をするか、しないかという医者からの事前の質問に直面することは誰にでもあり得ます。これは損得で決められる問題ではありません。あるいは、溺れている人を見たときに自らの命の危険を冒してまで助けるのかどうか。これも損得と価値がぶつかる問題です。

そのときに、リーダーが最もしてはいけない行為は「そういった問題を見て見ぬふりをする」ことです。企業の不祥事にしてもそうで、人間性が問われる問題です。

そうならないためには、損得計算では解けない問題にどう向き合うかを、あらかじめ経験しておくことが大切です。そこで僕は日頃から学生には「若い頃につらい恋愛をしておくといい」と言っています。実らない恋とか、ひどい人だけど好きになってしまうとか、それらも損得を超えた価値の問題ですよね。ビジネスとは関係がないじゃないか、と思われるかもしれませんが、損得と価値判断がずれたときの意思決定のあり方を学ぶ材料としてつらい恋愛は最適なのです。学生にはファイナンスの勉強よりもそのほうが学びが多いと言っているのですが、それも最近では難しくなっているようです。

山口 いまは恋愛もコストパフォーマンスで考える若者が増えているそうですからね。

見えないものを見る力を養う

山口 損得計算で解けない問題があることを知るというのは、おっしゃったように、カント的な自律的行動の概念を明確にする、つまり自らの理性的な規則を見出すことにつながるわけですね。ただ、理性や道徳には、その裏付けとなる知性が必要であると思います。いわゆるエリート、あるいは優れたリーダーに求められる資質は、損得計算が速いことや、学力テストが速く正確に解けることではありません。そう考えると、オックスブリッジで行なわれているようなリベラルアーツ教育、社会のリーダーとなることを見越した全人格的な教育の復権が必要ではないでしょうか。でも日本では逆に実学志向が強まっています。

菊澤 リベラルアーツ教育も実学も、「それを学ぶことがなぜ必要なのか」という位置づけをはっきりさせることが大切です。単純に哲学の本を読むだけではあまり意味がないと言いますか、それを必要とするような問題意識が前提にあるべきです。

僕が思うに、日本は「見える化」が重視されすぎているのではないでしょうか。数字、業績といった目に見えるものだけしか見ないから、隠れて悪いことをしても業績を上げればいいんだという考えが出てきてしまうのです。人間には見えない側面がたくさんあります。リーダーには、そうした見えないものを見る力も問われると思います。

ここで言う見えないものとは、倫理、道徳や誠実さといった「人間性」の部分です。それを見抜いてくるリーダーは、どんな手段を使っても業績さえ上げればいいと考えている部下にとっては怖い存在です。一方、誠実に仕事をしている部下には歓迎されるでしょう。それによって組織が健全なものになっていきます。

では、見えないものを見る力をどう養うか。そこでリベラルアーツが必要なのだと思います。例えば、最近おもしろいと思ったのは、美術鑑賞を企業研修に取り入れているという話です。美術作品について意見を述べ合って考えを深める「対話型鑑賞」と呼ばれるもので、目的さえはっきりしていれば、見えないものを見る訓練としては素晴らしい取り組みだと思います。

「信頼」という見えない価値

菊澤　日本人にはもともと、見えないものを大切にするという特性が備わっているはずです。例えば、「ゲーム理論[*4]」というのがありますよね。

山口　利害関係のある相手がいる状況で、最適な行動を選択するための思考法ですね。

菊澤　ゲーム理論の中で有名な問題が「囚人のジレンマ」です。自分が自白するかしないか、相手が自白するかしないかの組み合わせで量刑が変わるという状況下で、囚人同士がそれぞれ最適な行動をとると、つまり利己的利益を追求するために、互いに相手を裏切ると、両者にとって悪い結果に陥るというジレンマです。あれはよく考えると簡単なことで、お互いを信頼すればジレンマは解決してしまう話なのです。囚人のジレンマが生じるのは、基本的に相手を信頼しない契約社会だからであって、お互いが信頼し合っている社会ならすぐに解決する問題なのです。日本社会は欧米と違い、そうした「信頼」という目に見えないものを見ることができる社会だと思います。

そうした文脈で最近少し気になっているのが、もともとはあまり好きではなかったのですが、テオドール・アドルノをはじめとするフランクフルト学派[*5]です。

アドルノの「否定弁証法」は同一性の否定、要するに「ちょっとずれてみてみよう（非同一性）」ということです。ゲーム理論という同じパラダイムの中にいると見えてこないことが、軸をずらして考えてみると見えてくるわけです。

現実的には完璧な契約というものが難しい以上、契約社会も最後にはどこかで信頼がないと成立しませんよね。そうであるならば、日本企業が追求していく価値として、「絶対的に信頼できること」があってもよいのではないでしょうか。従来のように、見える化して安くいいものをつくるようなことは、すでに多くのアジア諸国ができるようになっています。もはや戦略として競争優位を持たないのです。その中で日本が勝負していく戦略の一つとして、多少コストが高くても「日本の企業は裏切らない」という見えない価値を世界に示していくこともあるのではないかと考えています。

4

ゲーム理論　「利害関係を持つ相手がいる状況で、自分と相手の利益を考え、最適な行動を決める」方策を求める数学理論。一九四〇年代、数学者のジョン・フォン・ノイマンと経済学者のオスカー・モルゲンシュテルンによって創始され、経済学から社会学、経営学、そして進化論へと、幅広い分野に影響を及ぼした。代表的なものに「囚人のジレンマ」がある。

5 フランクフルト学派 一九三〇年代以降、ドイツ・フランクフルトの社会研究所に拠って活躍した一群の思想家たち。マルクス主義・フロイトの精神分析理論・米国社会学などの影響のもとに批判理論を展開、現代社会の総体的解明をめざした。ホルクハイマーを中心に、アドルノ、フロム、マルクーゼ、ベンヤミン、ノイマンらがおり、第二次大戦後はハーバーマス、シュミットらが活躍した。

「客観性」に依存して意思決定するな

山口 フランクフルト学派と言えばマルクス主義ですが、マルクスの唯物史観に、「上部構造」と「下部構造」という考えがあります。下部構造は経済活動・生産活動、上部構造は政治や法律のほか思想や文化など、マルクスの言うところの「イデオロギー」で、下部構造によって上部構造が規定される、また一方で上部構造の反作用が下部構造に影響を及ぼすと彼は考えていた。

近年の日本企業におけるコンプライアンスやガバナンスの問題について考えると、下部構造で起きている問題を、下部構造の改革だけで対処しようとしているように思えてなりません。実際には価値観や規範、先生の言われる「価値判断」

などから成る上部構造の反作用が重要であるのに、その部分が弱くなっているために下部構造の問題を解決できないのではないかと思います。

菊澤 その点は、宗教観の違いも関係しているかもしれません。日本人は、宗教という柱が弱いために、意思決定原理として損得計算や「客観性」に依存しがちです。企業のトップの方はよく「われわれはいつもデータに基づいて客観的に意思決定している」とおっしゃるのですが、例えばそのデータが間違っていたらどうなるのか。もし意思決定後に間違っていることが判明したら、おそらくデータを作成した部下が叱られるのでしょう。そうすると部下は萎縮して、次からは間違いに気づいても隠すようになる。こうして、隠蔽体質の不健全な組織が出来上がっていくのです。

そうならないためには、リーダーが重層的に価値判断して行動する必要があります。客観的なデータに加え、「自分はこれが善いと思う」と主観的な選択をしてその責任を取る覚悟が必要となるのです。これは科学と哲学の問題でもあるのです。戦後、科学万能主義で客観性が無条件によいとされ、哲学を非科学として疎かにしてきたことに根本の原因があるとも言えます。

山口 確かにビジネスの現場では、「客観的なデータに基づいている」ことはポジティブに捉えられる一方で、「あなたの言っていることは主観だ」というのはネガティブな意味で用いられています。でも本来の漢字の意味を考えると、「主」は重要で中心的なもの、「客」は主に対する従、一時的なものや中心にないものを指すわけですね。そういう意味では主観と客観の受け取られ方が逆転しているように感じます。

起業家精神とは価値判断である

菊澤　少し言い方を変えれば、主観的とは主体的でもあり、それゆえ自由で自律的でもあります。主観的だからこそ責任を伴うわけです。客観は自分のことつまり主観的ではありませんから責任を取らなくていい。しかも、客観的な意見は同一性が高いため、意思決定も楽です。

これに対し、「これは私の主観で決めたことなので、その責任も私が負う」と言うのは、やはり怖いことでしょうが、主観的な意思決定や価値判断こそが一人の人間としての見せ場なのであり、カントの言う自律的人間の根拠です。そして、そのような自律的行動を引き出すことを、カントは「啓蒙」と呼びました。

それができない人間ならAIのほうがいいということになってしまいます。

山口 客観的な判断だけならAIのほうが優れているでしょうね。

菊澤 起業家精神とは何かということについて、簡単な思考実験をすることができます。例えば、新しいプロジェクトを動かすかどうか決めるときに、経営者は二つの問題に直面します。一つは、このプロジェクトが儲かるかどうか。損得計算の問題です。もう一つは、このプロジェクトは正しいか、好きかどうか。価値判断の問題です。

すると、儲かるし正しいという場合、これは絶対やりますよね。ただし儲かることが予想できる中でイノベーションはまず起こらない。逆に、儲からないし正しくないということはやりません。そして、儲かるけれど正しくないことはやってはいけません。となると、儲からないかもしれないけれど正しい、好きだということにおいてイノベーションが起きるわけです。

そう考えると、起業家精神とは価値判断のことなのだとも言えます。客観的なデータではよくないと出ているが、主観的に「これは絶対に善い」と判断し、その責任を取る覚悟で新しいプロジェクトを実行できるかどうかです。

山口 これだけ物質的に豊かになり、普通にしていてもそれなりに生きていける時代に、それでもなお何かに挑もうとするときに、ただ「儲かるから」ではモチベーションも湧きませんし、優秀な人も集まらないでしょう。やはりそこに何らかの価値が示せるかどうかが大事な時代になってきているのだと感じます。

菊澤 僕自身が古い人間だからそう感じるのかもしれませんが、歴史ある会社、新しくてもよい会社の従業員は価値判断し、自分の会社が好きで、愛していますね。それが、じつは組織の強さにつながっている。自分の会社のことが好きだから、赤字になり給与が下がっても、従業員は辞めない。逆に、危機感を共有します。損得計算を超えて価値判断ができるかどうか。グローバル競争の時代には、そのことが組織にも、それを構成する一人ひとりにも、問われるのだと思います。

二〇一八年、イギリスの高級服飾ブランド、バーバリーが年次レポートを発表するとすぐさま批判が巻き起こり、最終的に全世界的な不買運動にまで発展しました。いったい何が起きたのでしょう。バーバリーが、当シーズンにおける売れ残りの服やアクセサリーなど三七〇〇万ドル（約四二億円）相当を、新品のまま焼却処分したと発表したのに対して、環境意識の高いセレブリティや消費者がこれを激しく非難したのです。結果として、同社のブランド価値は著しく毀損されてしまいました。

この事件はことのほか、英国国内では大きな話題になったそうで、ロンドンに在住している知人によれば、バーバリーのジャケットを着ていると見知らぬ人から「あなたはなぜあの会社のものを着ているのか？」と非難されるほどの状況なので、すでに着用自体が難しいブランドになってしまったということです。かつてのようにマスメディアが主流の世の中であれば、「人の噂もなんとやら」で数年もすれば事件は忘れ去られると思いますが、現在はネットの時代です。一度起こした不祥事はネット空間に永遠に事件として保存され、風化することがありません。おそらく同社のブランド価値をかつてのように回復することは不可能でしょう。

おそらく、同社の経営者たちは大いに戸惑ったことだと思います。というのも、売れ残った在庫を一括して焼却処分することはこれまでもずっと行なわれており、それは社会的に承認されていたからです。これはつまり、同社のやったことは特に法律で禁止されているわけではないということで、別に違法なことをやったわけではないのです。であるにもかかわらず、同社は世界中からのバッシングを浴び、おそらくは回復不可能なほどのブランドイメージの破壊を招いてしまいました。

この事例は、現在の私たちが「ビジネスの持つ原罪性に厳しい眼差しが注がれる時代」を生きていることを示しています。バーバリーがあれほどまでに厳しいバッシングを受けたのも、その背後に「アパレルは製造段階で巨大な汚染を発生させる」という事実があったからです。しかしこれは、何もアパレルに限ったことではありません。あらゆるビジネスには「自然資源を利用する」「環境に負荷をかける」「ゴミを排出する」「組織の中に格差をつくる」など、何らかのヒューマニティの毀損につながる要素、つまり原罪性を有しています。そしていま、この原罪性に対して厳しい眼差しが注がれるようになっているのです。

菊澤先生は、このような状況において、単に「利益が大きい」「効率が良い」といった点を判断する優秀さ、カントの言う「理論理性」だけを備えたリーダーは危険だということを指摘しておられます。私たちは意思決定を誤り、組織や社会を危険な状況におとしめるリーダーを往々にして「愚かだから」という理由で断罪します。しかし、実際にはそうではない。そういったリーダーは「愚かさ」のゆえにそのような貧弱な意思決定をしたのではなく、逆に「賢さ」のゆえにそのような貧弱な意思決定をしたのです。

ここで重要なポイントが「賢さには二種類ある」という点です。この点こそが、まさに菊澤先生が指摘されたカントの「理論理性」と「実践理性」の違いです。新型コロナをきっかけにしてさまざまな社会の常識が解体されていく現在、これまでの常識・通念に忠実で周囲の空気を読むことに長けているだけの人材は、どこかで大きな判断ミスをすることになるでしょう。

なぜなら、社会におけるさまざまな領域において「法律の整備が追いつかない」という問題が発生しているからです。システムの変化に対してルールが事後的に制定されるような社会において、明文化された法律だけを拠り所にして判断を行なうという考え方、いわゆる実定法主義は、結果として大きく倫理を踏み外すことになるおそれがあり、非常に危険です。この危険性をわかりやすい形で示していたのが旧ライブドアをはじめとする日本のネットベンチャーの一連の不祥事でした。

現在のように変化の速い世界においては、ルールの整備はシステムの変化に引きずられる形で、後追いでなされることになります。そのような世界において、クオリティの高い意思決定を継続的にするためには、明文化されたルールや法律だけを拠り所にするのではなく、内在的に「真・善・美」を判断するための実践理性、別の言葉で言えば一種の「美意識」が求められることになります。

例えば、よく知られている通り、グーグルは社是に「邪悪にならない（＝Don't be Evil）」という一文を掲げています。なぜこのような社是を掲げたのでしょうか？　文言がユニークなこともあり、この社是についてはさまざまな解釈や憶測が流れていますが、この一文を「グーグルの美意識」の表出だと考えてみるとわかりやすいと思います。グーグルが事業を展開している情報通信や人工知能の世界は極めて変化が激しい、つまりルールの整備がシステムの変化に対して後追いでなされるような世界です。このような領域において大きな事業を運営していこうとする場合、さまざまな意思決定を明文化されたルールのみにしたがって行なっていたのでは、決定的な誤りをおかしてしまう可能性があります。

では何を判断の軸にするべきか？　そこで出てきたのが、「正邪の側面から考えよう」という判断軸なのです。グーグルが「邪悪にならない」という社是を掲げているのは、カリフォルニアの青臭いカウンターカルチャーの残滓などではまったくありません。システムの不安定な世界、人類が向き合ったことのない未曾有の選択を迫られるような事業環境において、決定的な誤りを犯さないための、極めて戦略的で合理的な社是なのです。

第7章

ポストコロナ社会における普遍的な価値とは

対談

矢野和男

矢野 和男（やの かずお）

1959年山形県生まれ。1984年早稲田大学大学院理工学研究科物理学専攻修士課程を修了し日立製作所に入社。同社の中央研究所にて半導体研究に携わり、1993年単一電子メモリの室温動作に世界で初めて成功する。同年、博士号（工学）を取得。2004年から、世界に先駆けてウェアラブル技術とビッグデータ収集・活用の研究に着手。2014年、自著『データの見えざる手 ウエアラブルセンサが明かす人間・組織・社会の法則』が、BookVinegar社の2014年ビジネス書ベスト10に選ばれる。論文被引用件数は2500件にのぼり、特許出願は350件超。東京工業大学情報理工学院特定教授。文部科学省情報科学技術委員。

二〇二〇年、新型コロナウイルス（COVID-19）が世界中で猛威を振るい、感染拡大防止に向けた外出制限の下で日常生活もビジネスの風景も大きく様変わりした。ソーシャルディスタンシングにより人とのつながりが薄れ、在宅勤務や自宅待機によるストレスの増加も懸念されるいま、人間にとっての「幸福」とは何かが改めて問われている。

本章のゲストは、幸福の計測において多くの研究成果をあげてきた日立製作所の矢野和男フェロー。

緊急事態宣言発令下の二〇二〇年四月、オンラインで行なわれた対談では、新型コロナウイルスによって一変した社会においても変わらない価値、そして予測不能な未来と向き合うための考え方について、深い考察が加えられた。

幸福な組織に見られる四つの特徴

山口　新型コロナウイルスの感染拡大が世界中で大きな問題となり、生活が一変してしまった方も多いと思います。矢野さんはご自身のブログでこのウイルスを、「幸せを求める人の心につけ込むウイルス」と評しておられました。幸福の計測を大

矢野　きな研究テーマとしてこられた矢野さんならではの視点ですね。

われわれは一五年ほど前から、人間の幸福というものを客観的に捉える研究に取り組んできました。職場のような組織において人が幸福を感じる条件は、業務内容や個人の性格によって大きく異なります。でも、大量のデータを集めれば何か共通する要素、法則を見つけ出せるのではないかと考え、ウェアラブルセンサーなどで取得できる人間の行動やコミュニケーションのデータ、業務データなどの客観的なデータを集め、質問紙による主観的な幸福感の増減と合わせて解析してみました。その結果、組織における人と人とのつながり、コミュニケーションのあり方と幸せとの相関関係を見出したのです。

一人ひとりの幸福度が高く、生産性が高い組織には、普遍的かつ定量的に計測できる特徴があります。

まず、人と人とのつながりを線で表すソーシャルグラフの中に三角形が多い、つまり、自分とつながりのある人同士もまたつながりがあるという関係が多いほど、組織における人間関係が密で、幸福度が高い傾向にあります。

二つ目の特徴は、五～一五分程度の短い会話の頻度が高いことです。これは、組織のメンバーが気軽に会話できる関係にあるかどうかを示しています。しかもその会話が双方向であり、会議でも全員が均等に発言しているなど、つながりが平等であることが三つ目の特徴です。

さらに、会話する相手と体の動きが同調していることも重要です。人間のコミュニケーションは言葉によるものだけでなく、声の調子や体の動きなどの非言語の情報で、相手に対する共感や拒絶を伝達しています。幸福度の高い組織では、特に体の動きがコミュニケーションの相手と同調している傾向が強く見られます。

人は一人では生きていけないと言われるとおり、人類は集団で協力し合うことで繁栄してきた生物です。人と協力することによって幸福感が高まるという生化学的な仕組みを進化の過程で獲得してきました。

リモートワークでも幸福は感じられる

山口　本能的に人とのつながりに幸せを感じるからこそ、密集・密接・密閉、いわゆる「三密」のような行動を人間は取ってしまいがちで、それが新型ウイルスの感染拡大につながっているのは皮肉ですね。

矢野　おっしゃるとおりです。幸せを求める人間の本能的な行動につけ込むウイルスは邪悪だと言わざるを得ません。

山口　そのために、この対談もそうですが、社会的な機能が仮想空間にシフトしています。このことは仕事や教育の変革が進むきっかけになると期待される一方で、仮想空間は矢野さんのおっしゃるような幸福の四要素が不足するのではないかという心配もあります。

矢野　私もすでに一ヵ月以上在宅勤務が続いていますが、確かにリモートワークは幸福感を得にくく、注意しないとストレスが増え、抑うつ傾向が高まる可能性があります。

　ただ、五分程度の短い双方向の会話、確認や報告、雑談を遠慮せずに行なう環境をつくることは、リーダーが推奨し、一人ひとりが意識することでリモートワークでも可能になると思います。電話での会話でうなずいたりするように、離れていても相手を想像して身体的な同調を意識することも幸福度を高めます。

　また、現在のリモートワークでは、新たな出会いが不足することも問題です。目的を持たずに集まった場で新たな出会いや縁が生じることって、よくありますよね。仮想空間でもそうした場づくりのサポートや、人とのつながりを感じられるような技術の開発、あるいは運用の工夫がこれから必要になるでしょうね。

山口 そうですね。技術の開発といえば先日、初代の iPhone が家の中で発見されまして、久しぶりに電源を入れて起動してみたら、画面の汚さとか、レスポンスの悪さとか、とても使えたものではなかった。これが発売されたのは二〇〇七年ですから、わずか一三年前のことなんですけれども、あのときはびっくりして感動したテクノロジーも、いまではもう元には戻れないくらいの身体感覚になっている。

ですからいまのところ、こうしたリモートでの会議もぎこちなくやっていますけれど、今後、教育の世界、あるいはビジネスの世界で人のコミュニケーションがどんどん仮想空間にシフトしていくとなると、あと一〇年もすると技術も進んでどんどん洗練されたものになっていくのではないでしょうか。

矢野 そうですね。危機はチャンスでもあります。このコロナ禍を、「幸福」とは何かを改めて考えて、ソーシャルディスタンスを超えて幸福を感じられるような、われわれが変わる契機と捉えることが大切なのではないでしょうか。

仮想空間シフトで働き方が変わる

山口 先ほど幸福な組織の特徴について伺いましたが、人間関係がフラットで、双方向のコミュニケーションが活発であることは、イノベーションが起きやすい組織の要件に近いと感じました。それらに加え、おっしゃったような偶然の出会いも重要だと言われています。仮想空間へのシフトが進む中でイノベーションを促進するためにも、実空間に近いコミュニケーションをできるだけ早く可能にすることが必要かもしれません。

矢野 リモートワークによって、逆に対面でのコミュニケーションや、縁をつなぐ場づくりの大切さが再認識されていますよね。仮想空間でのコミュニケーションをリアルに近づけようとチャレンジする人も増え、技術革新が進むのではないでしょうか。

山口 今後、仮想空間が洗練されていき、リモートワークが当たり前の世界になると、人材獲得における地理的な制約も少なくなると考えられます。言語の問題はあるかもしれませんが、サンフランシスコやバルセロナに住む人と一緒にチームを組んで働くことも可能になるわけです。移動が難しい障がい者の方々などが活躍できる機会を増やすことにもつながるはずです。

矢野さんがおっしゃっていたように、幸福の感じ方が業務やパーソナリティによって異なるとすると、会社が最大公約数的に環境を整えた場所に集まって仕事をするよりも、個人個人がパフォーマンスを最大化できる環境で仕事をしたほうが、生産性が高まりますよね。東京一極集中を脱し、好きなところに住んで、好きな環境で仕事ができるようになると、おもしろい社会になるのではと思いました。

矢野　山口さんはもう、そういう働き方をされているのではないですか。

山口　そうですね。私は自分の人生を実験の場にしているようなもので、いろいろトライしてダメなら補正するということを繰り返しています。

矢野　私も同じです。われわれの研究チームでは、おっしゃるような仕事のスタイルに近いことを始めていますね。さまざまなグローバルな研究者の方々と共同研究を行なっていますが、ミーティングなどはほとんどオンラインで、一度も実際に会ったことのない方と意気投合して仕事をしていたりします。

データを活用して複雑な現象を理解する

山口　矢野さんの研究についてお伺いしたいのですが、幸福という個人によって異なる概念に対して統一的なパラメータを見つけたいとお考えになったのはなぜでしょうか。

矢野　統一法則の発見をめざしたいという思いには、私が専攻してきた理論物理の考え方が影響していると思います。

　物理学というのは、物の理《ことわり》を精緻に、統一的に理解することをめざす学問です。物と聞くと無生物をイメージしがちですが、人間を含む生物も物質的な枠組みの上に成り立っています。そう考えると、人間や、人間が関わる社会や経済のような複雑な現象も、物理学的な統一理論の枠組みで理解できるのではないか。そんな仮説を大学院生の頃から持っていました。

　就職してからは当時日本で勢いのあった半導体デバイスの研究に従事していたのですが、一数年前に会社が半導体事業から撤退したため、これから何に取り組んでいくべきかを仲間と議論する中で、かつての夢がよみがえってきたわけです。

山口　理論物理の手法で人間を理解しようとされたわけですね。

矢野　生物や社会のような複雑な現象を扱う科学というと、一九九〇年代に流行った複雑系科学がよく知られています。ただ、当時の研究は数理モデリングとシミュレーションが中心で、実データを用いた検証があまりできなかったことが課題でした。理論があっても実際の観測データによる反証ができなければ科学とは言えませんから。

山口　カール・ポパー[*1]の提唱した「反証可能性」ですね。

矢野　そのとおりです。私がこの研究を始めようとした頃も、人間の行動や社会活動に関わるデータを集める環境はまだ整っていませんでした。でも近い将来にはそうしたデータを大量に取得できる時代が到来し、データによる反証が可能になると見ていました。その構想をＭＩＴ（マサチューセッツ工科大学）やハーバード大学の研究者たちに話してみたところ、じつは当時、大量の実社会データを活用して、社会という人間がつくった抽象的な概念で構成されるものの挙動を定量的に理解しようという「社会物理学」の試みが始まっていたのです。そのためか私の構想に共感してくれる人も多く、共同研究などの具体的な動きを早い段階からスタートできました。

1 **カール・ポパー** 一九〇二〜九四年。オーストリア出身のイギリスの哲学者。ロンドン・スクール・オブ・エコノミクス教授を務めた。科学哲学や社会哲学、政治哲学について提唱を行なった。特に科学的言説には反証可能性（仮説が間違っていることが証明される可能性）が必要条件であることを提唱したことやオープンソサエティ（開かれた社会）についての思想が広く知られている。

ニュートンの運動三法則を社会に当てはめる

山口 矢野さんが解説を執筆された『ソーシャル物理学「良いアイデアはいかに広がるか」の新しい科学』（アレックス・ペントランド著、小林啓倫訳、草思社、二〇一五年）を読ませていただきましたが、まさに社会物理学について書かれた本ですね。

矢野 著者のMITのペントランド教授とは二〇〇四年から〇九年まで共同研究をしていたのです。そのご縁で解説を書かせていただきました。

山口 その解説の中で、「社会物理学」と「物理学」との類似性について、「ニュートンの運動法則における加速度が、大きさや質量の異なる物体に共通する法則であるように、社会の動的な成長プロセスには、国や時代が異なっても共通する法則がある」ということを述べておられましたね。またブログでは、「変化とそれをもたらす力に注目するのが科学である」と書いておられましたが、このことについてもう少し解説していただけますか。

矢野　いちばん難しいところを突いていただきました（笑）。われわれの素朴な認識というのは意外に間違っているもので、その典型例が「力」についてです。「物体に強い力を与えたら速く動く」と、ニュートン以前はみんなそう思っていました。

山口　いまでもみんなそう思っているのではないでしょうか。

矢野　でも物理学を多少なりとも習った人なら、力と速度は直接関係するものではないということをご存知だと思います。ニュートンの運動三法則がありますね。その中で、慣性の法則（第一法則）は、「力を受けない物体は静止または等速度運動をする」というもの、運動の法則（第二法則）は、「物体に力が働くと、力の向きに力の大きさに比例した加速度（速度の変化）が生じる」というものです。

ここからわかるのは、「速さ」自体に法則はないということです。それは物体の質量や初期条件などによって異なるからです。一方で、「力」によって生じる「加速度」は、対象となる物体のそれまでの動きに変化を加えるもので、質量が違っても同じ法則が適用できます。

この法則は、物体の動きだけに限らず、もっと広い領域に適用できると私は考えています。何らかの現象について考えるとき、ある時点での状態、そこからの変化（加速度）、変化の原因となった力に注目することで、「科学的」なアプローチができるのです。

データによる予測と現実とのずれに気づく

山口　人間の活動、経済や社会の動きにも、ニュートンの運動法則を当てはめて考えることがポイントなのですね。

矢野　ええ、多様なものに普遍的、統一的な法則性を見出していくのが科学です。現在のテクノロジーをもってすれば、過去のデータから未来についての高精度な予測をすることは難しくありません。「慣性の法則」に従うと、過去の延長としての未来が予測できます。しかし現実は、人間や社会の活動には常に何らかの力による変化が加えられているため、「運動の法則」に従い、過去の延長としての予測と現実との間には、必ず乖離、ずれが生じます。

データを活用した予測を行なうことで、そうしたずれに気づくことができます。そして、ずれが起きている対象に、人や時間を使って行動を起こす。そのデータを加えて、また次の未来を予測し、現実とのずれを見つけて行動するということを繰り返す。それによって過去の延長ではない未知の未来に対して、的確に判断、対処していく力が高まります。

山口　この思考プロセスは、ニュートンが物体の動きを理解するときに行なった基本的なプロセスと同じです。社会という、さまざまな要素が絡み合う複雑なものを理解しようとするときに、物体によって異なる速度のようなものに着目していたのでは複雑さが増すばかりです。ニュートンの物理法則のような基本に立ち返って、普遍的な枠組みで考えることが大切であり、現在はデータやデジタル技術の力を使うことでそれが可能になっています。

科学研究では理論値と観測データが合わないときに、観測エラーと片付けられてしまうこともあります。でも、もしモデルが正しければ、ずれが生じたのは検出できなかった新たな力が加えられたためであると考えられ、そこに大きな発見の契機があるということですね。

予測不能な時代に対処する三つのP

山口 新型コロナウイルスの例に象徴されるように、未来はますます予測できないものとなっています。矢野さんはこの予測不能な時代に対処する考え方として、Predict、Perceive、Prioritize の三つのPを挙げておられますね。

矢野 先の話とつながるのですが、まず、過去のデータを用いて、過去の延長ではどうなるかを予測します（Predict）。次に、過去の延長と現実との乖離、「兆し」と呼びますが、これを特定します（Perceive）。そして、乖離が起きている対象に対し優先的に行動を起こす（Prioritize）という三つのPを継続して繰り返すことが、変化の激しい時代に対応する方法として有効です。

昔からよくPDCA（Plan, Do, Check, Action）と言いますが、未知のことが次々に起きるような状況下では、時間をかけて計画をつくったり見直したりする意味がなくなり、PDCAがうまく機能しません。

山口 確かに、計画している間に次の変化が起きてしまいますね。

そして、その三つのPの中でもいちばん重要なのは、予測と現実を重ね合わせたときのギャップをPerceiveする、きちんと受け入れるということだと思います。予想外のギャップに気づき、受け入れる姿勢は、イノベーションやセレンディピティにつながり、社会が大きく変化しているときほど必要です。しかし、現実にはギャップを無視してしまうことが多いでしょうし、ギャップがさまざまな場所に見られた場合、どれに優先順位をつけてアクションを起こすべきか、判断が難しいと思いますが。

矢野　そうですね。このような原理で動いている組織はほとんどないでしょう。ただ、こうした考え方のバックボーンがないと、ビッグデータやAIを真の意味で生かすことはできません。

データは常に過去のものです。データを活用した予測モデルの開発では、精度の検証に過去のデータを用いています。つまり、過去のデータを使って、過去の結果を予測できるモデルをつくっていることになるわけです。これでは、いくら正確な予測モデルをつくっても未来を予測するには原理的に無理があるのです。必ず予測通りにいかないことが起きます。データが大量にあればAIで未来を見通せるのではないかといった期待がありますが、それは原理的に無理があるのです。

データとＡＩを使う意味というのは、先ほど言った予測と現実との乖離、すなわち「兆し」を捉えて「変化を機会に変える」ことです。未来が過去の単純な延長ではなく、変化が常態化している予測不能な時代には、それに対応した新しい考え方が必要だと思います。

「易経」のすすめ

山口　矢野さんご自身は理論物理の思考法を身につけておられるので、予測と現実のギャップを受け入れて行動につなげることも難しくないと思いますが、それができる人材は多くないと思います。予測不能な時代に対応するための教育、人材育成のあり方については、どのようにお考えですか。

矢野　教育はオーバーホール（分解検査）する必要があるでしょう。読み書きそろばんのようなスキルは、いまや人間よりもコンピューターのほうが上手にできます。このような時代に人間がやるべきことは、問題を認識する力です。問題をどのようなフレームワークで、ストーリーで捉えるか。そうした力を養う教育が必要です。じつはそのヒントの一つになるのが、「易経」ではないかと思っているのです。

山口　物理学者には易経に関心のある方が多いですね。ヴォルフガング・パウリ[*2]だとか、好きな人が多いのですが、易経は英語名が「The book of changes」というように、予測不能な未来に対して、どのように状況を捉え行動を起こしていくかということを説いている一つの学問体系です。

矢野　「易」というのは、じつは一種の二進法で、陰と陽をそれぞれ0と1の組み合わせと考えると、2の6乗、すなわち64のパターンによって自然と人間の変化の法則を表しています。易経は江戸時代には、支配階級である武士が身につけておくべき教養の中核でした。四書五経を中心とした江戸時代の教育は、過去に学ぶだけでなく、自分は、自分たちはいかに生きるべきか、予測不能な未来にいかに臨むべきかを考える力を養うものだったと言えるでしょう。

　これに対して明治以降の教育は、過去の知識を覚えて活用することが中心になりました。過去の知識を使って、いま何かをすると、未来が変わっていくという因果論的、決定論的な考え方に基づいています。

　ところが実際には、未来は当然予想通りにはなりません。不確実であることを前提として未来や変化と向き合うという考え方、その方法論を見出そうとした江戸時代の学問を、いまのテクノロジーや社会の変化を踏まえたうえで、もう一度取り入れてもよいのではないかと思っています。

2 ヴォルフガング・パウリ 一九〇〇～五八年。スイスの理論物理学者。排他原理など量子力学の分野で多くの業績を残した。四五年、ノーベル物理学賞受賞。

人の成長に投資するという考え方

山口 矢野さんのブログを拝読して興味深かったのは、AIの開発に六〇日かかっていたのが、経験を積んだことにより三日でできるようになることは、「実験と学習」への投資の結果であるというお話です。

矢野 二〇一九年に、あるAIのプログラムを書いたのですが、一年間にわたって試行錯誤を繰り返し、最初のバージョンから一〇〇回近くも改良したので、正味六〇日分ぐらいの時間がかかりました。AIのプログラムってじつは一〇〇〇行程度で、それほど巨大なものではありません。普通のプログラムよりも一段上位の概念で記述していて、逐一指示を書かなくても機能するため結果は短くてすむのですが、状況によらずに汎用的に対処できるようにするには何度も試行錯誤が必要でした。

ただ、もしいまそのソースコードが消えてしまい、もう一度書いてみろと言われたら、おそらく三日程度で書けるでしょう。中身は隅から隅まで頭に入っていますし、どこが肝なのかもよくわかっているからです。

このことは、問題の捉え方がよくわからなかった未熟な私が、一年かけて、複雑で汎用的な問題解決法であるプログラムをつくることのできる私自身に成長したことを意味しています。これを投資と見れば、プログラムというモノの生産に投資したのではなく、私という人間の一年間の実験と学習に投資したのだと言えます。その結果、私が成長したことが生産であるということです。生産とは形のあるモノを外に生み出すということだけではなく、人の能力を高め、成長させることだという見方もできると思います。

山口　近年、経済における無形資産の重要性が高まっていて、全米企業のバランスシートの中で無形資産の占める割合が八〇％に達するという試算もあります。バランスシートに載らない無形資産こそが重要だという議論もあり、ＡＩの開発期間を短縮する能力などは、そうした無形資産の最たるものだと思います。個人の能力が高まったことは企業のアセット（資産）が増えたことになるのに、いまの財務会計方法では数値化できないわけですよね。そう考えると、価値というものの捉え方を変えていく必要があるのかもしれません。

矢野 人間の成長は、試行錯誤、あるいは実験と学習によって得られるものです。人の成長に投資するということは、一定の枠は必要かもしれませんが、実験と学習のための自由を与えることであるというふうに、考え方を転換していく必要があると思っています。

幸福を軸にしたものの見方

山口 モノではなく人をつくるという視点が、企業や経済の成長には必要ですね。それが、幸せな組織とか、幸せな働き方にもつながっていくように感じます。

矢野 そうですね。予測不能な未来に向き合うとき、人が生きる目的、企業や社会が成長する目的という軸を据えることは、極めて重要です。私は、「幸せ」や「ハピネス」という概念は、誰にとっても揺るがない目的になり得ると考えています。だからこそ研究テーマに据えました。幸福が無条件に究極的な性質を持つものであるということは、すでに古代ギリシャ時代、アリストテレスが『ニコマコス倫理学』[*3]の中で説いています。

山口 幸福というものは漠然としているように思えますが、近年は組織運営にそうした概念を取り入れるための研究も盛んになり、幸福とは何かを具体的な要素に分解して理解するために、データやAIが活用され始めています。個人を幸せにする、企業とそのステークホルダーを幸せにする、あるいは社会を幸せにするということは、不確実な時代における確実な目的となり得るのではないでしょうか。その目的に向かって、三つのPという方法論で近づいていくのが合理的ではないかと思います。

矢野 かつてのように物質的な豊かさが幸せの実感につながらなくなった現代において、幸福の実現において大切なポイントは何であると思われますか。

いろいろな考え方があると思いますが、一つはわれわれが取り組んでいるように、幸福、人間や社会というものを、データを利用して科学的に理解することですね。お話ししてきたとおり、教育や投資に対する考え方を転換していくことも重要です。また、物質的な豊かさが増した一方で、格差の問題は拡大していますよね。社会全体の幸福を考えると、この問題をどう解くかが非常に重要です。

最近では、SDGs（Sustainable Development Goals）やESG（Environment, Social, Governance）のような、より高い視点から社会、企業活動の目的を考えることが重視され始めています。もう一段上位の幸福というものを軸にしたものの見方も、今後広がっていくのではないでしょうか。

新型コロナウイルスでは世界中で二〇〇万人を超える方が亡くなり、社会活動の制限によって経済的な困窮も生じるなど、多くの不幸がもたらされています。この災禍が、普遍的な価値としての「幸福」について改めて考え、「幸福」を社会活動の軸としていくきっかけになることを願わずにいられません。

3 **ニコマコス倫理学**　古代ギリシャの哲学者アリストテレス（紀元前三八四～前三二二年）の主要著作の一つであり、倫理学に関する著作や講義ノートなどを息子のニコマコスらが編纂した書物。全一〇巻から成る。万人が人生の究極の目的として求めるものを「幸福（よく生きること）」であるとし、その概念について精緻に分析している。

二〇二〇年一二月に、マッキンゼーは、新型コロナウイルスが収束したのちにも、二〇%の労働力はリモートワークをし続けることになるだろうという予測を発表しました。この数値を見て「意外と少ないな」と思ったかもしれませんがとんでもありません。そもそも、この二〇%という数字の母集団は「全労働者」です。つまり農業や漁業や工場や医療など、そもそもリモートワークになり得ないような仕事をやっている人々もすべて含めたうえでの二〇%だということです。例えば日本では、いわゆるオフィスに出勤してデスクワークをする「事務労働者」の比率は全体の四割程度となっています。したがって、マッキンゼーのいう「全労働者の二〇%がリモートワークに移行する」ということは、オフィスで仕事をしている人の半分がリモートワークに移行するということを意味しているわけです。

想像してみてください。都市部のオフィスに勤めて毎日通勤していた人の半分が通勤することを止めてしまえば、都市部の経済システムは維持できません。例えば鉄道ターミナル駅にはほぼ必ず駅ビルが建っていますが、これらの駅ビルのテナントはターミナル駅の乗降客数に応じたテナント料金を払っています。乗降客数が半分になってしまえばほとんどのテナントは赤字に陥り、店舗を維持することができません。結果的にテナント料金を下げてもらうか撤退するかの判断を強いられるわけですが、そうなると今度は駅ビル側の不動産収入が激減することになります。また、こういった駅の周辺にあるレストランなどの店舗のほとんども経営を継続することはできなくなるでしょう。

つまり、このような変化が起これば、現在の私たちが当たり前のように考えている社会システムはおそらく解体されることになるだろうということです。そして、そのような変化は私たちの「幸福のあり方」についても大きな考察を迫ることになるでしょう。

すでに本書においては、全生庵の平井住職との対話の中で、かつて人々の心の拠り所となっていた村落共同体というコミュニティに代わって、高度経済成長期以後は企業がその役割を果たすことになったという話が出てきました。かつての日本企業は年に数回のお祭りがあり、会社によっては物故社員を祀る慰霊塔などがあったわけで、これはもう単なる経済組織を超えた存在、一種の共同体として存在していたわけです。ところがバブル崩壊以後、多くの企業は終身雇用という雇用形態を維持できなくなり、会社が共同体ではなくなってきている。そのような変化の最中にあって、コロナ禍によるリモートワークの浸透、及び必然的に副業・兼業が常態化していくことになると思われます。

では、労働力の流動性が過剰に高まった、いわば「リキッドソサエティ」が成立した場合、どのような懸念があるのでしょうか？　私自身は、最大のリスクは社会のアノミー化であると考えています。アノミーは、もともとはフランスの社会学者エミール・デュルケムが提唱した概念です。通常は無規範・無規則と訳されることが多いのですが、それはむしろアノミーがもたらす結果であって、オリジナルの文脈を尊重すればむしろ「無連帯」と訳すべきでしょう。デュルケムはその著書『社会分業論』において、分業が過度に進展する近代社会では機能を統合する相互作用の営みが欠如し、共通の規範が育たないと指摘しています。要するに「社会の規制や規則が緩んでも、個人は必ずしも自由にならず、かえって不安定な状況に陥る。規制や規則が緩むことは、必ずしも社会にとってよいことではない」とデュルケムは指摘しているわけです。アノミー状況に国が陥ると、各個人は組織や家庭への連帯感を失い、孤独感に苛まれながら社会をさまようになります。

事実、現在の日本ではアノミー化の進行を示唆するさまざまな現象が見られます。アノミーとは即ち無連帯である、と指摘しましたが、昨今人口に膾炙するようになった「無縁社会」という言葉はまさしくアノミー状態に社会が陥りつつあることを示唆しています。

また日本では一九九〇年代以降、自殺率が高い水準で推移していますが、これもまさにデュルケムが指摘したことです。デュルケムは、一八九七年に著した著書『自殺論』の中で、自殺を「自己本位的自殺」「集団本位的自殺」「アノミー的自殺」「宿命的自殺」の四つに分類し、成熟社会においては人々の欲望が過度に肥大化する結果、個人の不満・焦燥・幻滅などの葛藤が増大してアノミー的自殺が増加するであろう、と予言しています。カルト教団への若者の傾斜も九〇年代以降顕著になった現象ですが、これもアノミー化の進行に対する若年層の無意識的な反射と考えることもできます。

一方で、対話中にも出てきた通り、人々のモビリティが全般に低下するということは、元々モビリティに関してハンディキャップを持っていた人たちの「障がい」が、実質的にリセットされるということでもありますから、マイナス面だけとも言えません。リモートワークによって通勤の必要のなくなった人の中から、相対的に土地の安い風光明媚な土地に移り住んで、木漏れ日と鳥の鳴き声に癒される日常を送ることで幸福感をより高める人も大勢出てくることになるでしょう。

重要なのは、この変化そのものに抗おうとするのではなく、この変化にどのようにポジティブな意味づけをしながら、新しい社会のあり方を構想できるかという点です。このような大きな転換点に差し掛かっている私たちにとって、「幸福のあり方」に関する根本的原理を追求している矢野さんたちの研究は非常に重要なものだと思います。

第8章

パンデミック後に訪れるもの

対談

ヤマザキマリ

ヤマザキ マリ（やまざき まり）

漫画家・文筆家。東京造形大学客員教授。1967年東京生まれ。84年にイタリアに渡り、フィレンツェの国立アカデミア美術学院で美術史・油絵を専攻。2010年『テルマエ・ロマエ』（エンターブレイン）で第3回マンガ大賞受賞、第14回手塚治虫文化賞短編賞受賞。2015年度芸術選奨文部科学大臣新人賞受賞。著書に『プリニウス』（とり・みきと共著、新潮社）『オリンピア・キュクロス』（集英社）、『国境のない生き方』（小学館新書）、『ヴィオラ母さん』（文藝春秋）など。近著に『パンデミックの文明論』（中野信子と共著・文藝春秋）、『たちどまって考える』（中公新書ラクレ）。

ベストセラーコミック『テルマエ・ロマエ』（エンターブレイン、連載開始二〇〇八年）の作者として知られるヤマザキマリ氏。新型コロナウイルスによるパンデミックが続く中、オンラインでの対談となった。

自身が暮らすイタリアでも感染爆発が起き、多くの犠牲者を出す結果となった新型コロナウイルスだが、ヤマザキ氏は、歴史的に見ても感染症のパンデミックが社会を変えるきっかけとなったケースが多いと指摘する。災厄を奇貨とするためにも、これからの私たちはどうあるべきか、対話を通じて探っていく。

「病気はうつるものなんだ」

山口　ヤマザキさんに以前お目にかかったのは、半年以上前だったでしょうか。そのときには世の中の景色がこれほど変わるとは思っていませんでしたよね。本当に先が見えない時代であることを実感させられますが、新型コロナウイルスでは、ゆかりの深いイタリアも深刻な被害を受け、心を痛めていらっしゃるのではないですか。

ヤマザキ イタリアを含めて、世界中で多くの方が亡くなられたのは本当につらいことです。今回のパンデミックでは、それぞれの国の国民性や社会の形が露呈したように思います。特にイタリアは、感染者が見つかった途端に大騒ぎになり、いっせいにPCR検査を始めましたよね。医療資源のことなどあれこれ考える前に、とにかく不安を払拭したいという思いが先走るところはイタリアらしいと感じました。

山口 私の妻もイタリアにご縁があってよく行くのですが、どの街にも必ずピアッツァ（広場）があって、人の交流を促すようなつくりになっていますよね。そのような国での外出制限は、精神的にもかなりつらいでしょうね。

ヤマザキ そう思います。新型コロナウイルスの感染拡大では、人との何気ない接触が日常に染み込んでいるイタリアのような国の国民性が裏目に出てしまいました。日本のように平時からソーシャルディスタンスの傾向がある社会とは、やはり拡散の仕方が異なります。

イタリアをはじめとするヨーロッパでは、マスクに対する意識も日本とはだいぶ違います。ポルトガルで暮らしていたときの話ですが、うちの子が風邪を引いたのでマスクをつけて学校へ行かせたら、校門のところで先生から「そんなものをつけているとペストが流行っているみたいで不吉だ」と、外すように言われたのです。

治安の問題もあると思いますが、やはり顔を見て話すことを大切にする文化圏において、顔の半分を隠してしまうマスクは根付かないのでしょうね。そんなものを使わなくても病気は克服できる、という自負も理由になっているようですが、彼らにはハグやキスの習慣もありますし、家庭では家族が集まってよくしゃべるので、飛沫が飛びまくるわけです。そんな中で誰かが風邪やインフルエンザにかかれば、マスクもしませんから当然うつります。でも彼らイタリア人は「いいんだ、病気はうつるものなんだから。みんな一回かかって、治して、強くなるんだ」と。感染症には打ち勝てるという自信が根付いている。

スペイン風邪が第二次世界大戦の遠因に

ヤマザキ　そうした文化に加えて、高齢化率が約二三％（二〇二〇年）という、世界で最も高い日本の二九％に次ぐ高齢社会、しかも施設ではなく家で普通に暮らしている高齢者が多いこともあって、あっという間に感染者も死者も増えてしまいました。その後スペインでも感染が広がり、ブラジル、アメリカでも低所得者層を中心に感染爆発が起きたという状況を見ていると、もちろん衛生環境も大きく影響しているわけですが、根本的に家族の結束が強い地域では感染が広がりやすいのではないかと感じています。

山口 インフルエンザは、もともとイタリア語の「influenza」からきているのでしたね。

ヤマザキ そうです。「影響」という意味ですね。ウイルスの存在がわからなかった頃は、病気になるのは寒さや星の動きの影響ではないかと考えられていたため、という説があるようですが。

山口 影響ということで言えば、一〇〇年あまり前に北米や欧州から世界中に流行したスペイン風邪も、文化や社会のあり方にも大きな影響を及ぼしました。

ヤマザキ 第一次世界大戦が収束しかけた頃に流行し出して、戦争によってただでさえ精神的にも経済的にも疲弊していたところに、全世界で五〇〇〇万人以上とも言われるほど多くの人々が亡くなり、ダメージをさらに広げたわけですよね。それによって第一次世界大戦の終戦は早まったけれど、ドイツに巨額の賠償金という追い打ちをかけたことが結果的にヒトラーの台頭を促し、第二次世界大戦へとつながっていった。イタリアのファシズムもそうですが、心や社会基盤が弱っていると、民衆は物事を大きく動かす力やエネルギーのある人の言葉に傾いてしまう性質があるのでしょう。

そう考えると、感染症のパンデミックというのは人間のそれまでの日常を揺るがしてふるいにかけ、必要なものをより分けたり、社会のあり方を問い直したりして、生き方への変化を招くきっかけになっているのかもしれません。

コミュニケーションは二分化していく

山口　この対談もオンラインですが、今回のパンデミックが社会にもたらした大きな変化の一つが、人が物理的に移動しなくなったことです。今後、いろいろな物事が仮想空間で動くようになっていくと、一度も直接会ったことのない人と大きな仕事をするケースも増えるでしょうし、リアルな世界よりも仮想空間のほうが自分をよく見せられていいと考える人も出てくるかもしれません。これは相当、文化的なインパクトが大きいと思うのです。

一方で、イタリアやスペイン、あるいは南米の国々のように、生活の中でフィジカルコンタクトが多い国ほど幸福度が高いという傾向があります。リアルなふれあいがないと人間は不幸になるということも、さまざまなデータから示されていますが、ヤマザキさんは、これからのコミュニケーションはどう変化していくと思われますか。

ヤマザキ
二分化していくのではないでしょうか。私が『テルマエ・ロマエ』を描き始めたのは二〇〇八年で、その頃はポルトガルにいましたから、編集担当者との打ち合わせにはすでにオンライン会議ツールを使っていました。

現在の漫画の制作現場もバーチャルで、アシスタントと実際に会うことなく作業をしています。でも、だからといって人と会わずにいられるわけではなく、密閉空間に長く居ると外に出たい衝動が込み上げてきて、締め切り間近なのに飛行機に飛び乗ってしまうこともあります。そんなふうに、皆さんそれぞれが自分にとってのバランスの取り方を見出していくのではないでしょうか。

仮想空間のほうを好む人もいるでしょうけれど、もともと人間は動物、動くものなのですから、移動する能力や欲求がバーチャルの利便性に完全に淘汰されてしまうことがあり得るかどうか、疑問ですよね。

「金より人の命じゃないか」

山口 ヤマザキさんは、日本人で、イタリア人のご家族がいらして、長年にわたってヨーロッパ、特にローマ・カトリックの影響の強い国に暮らしておられますから、宗教観の違いを実感されていることでしょう。私は以前、海外の知り合いから日本の宗教は何なのかと聞かれて、「ない」と答えたら、「じゃあ倫理や道徳をどうやって教えるのか」とすごく驚かれました。

ヤマザキ 日本人にとっての倫理は「世間体」によって象られていますよね。

山口 そう、コミュニティのルールや世間の目が倫理基準なのですよね。文化人類学者のルース・ベネディクトは有名な『菊と刀』の中で、欧米の「罪の文化」に対し、日本は「恥の文化」であると分析しています。欧米ではキリスト教と聖書が行動の規範になっていて、それに背くことが「罪」であると考え、罪を犯さないよう自分の行動を律します。日本では神や仏よりも他人の目、世間に対する意識のほうが強いために、世間の「恥」とならないように行動するわけです。倫理や道徳というものが神との関係で決まるのか、他者との関係で決まるのかという違いですね。

ヤマザキ イタリアが都市封鎖をしたとき、夫に「こんな観光大国が観光客を入れなくしたらどうなるか、わかっているのかな」と言ったら、「金より人の命じゃないか」と彼は即座に返してきたのです。命がなければ経済もないのだから、と。それを聞いて、彼らはやはり根本的にカトリックの倫理観で生きている人間なのだと感じました。

山口 今回のような予測不能な危機に直面したときに、おっしゃるような宗教的倫理観、最後はこれに則って判断すれば間違いないと言える絶対的な基準を持っている文化圏には、ある種の強さがあると感じます。

一方、常識や世間体というような、時代や状況によって揺らぐ基準に従っている文化圏では、危機のときも平時と同じ判断ができるのかは疑問です。今回の日本の外出自粛要請に関しては、「世間の目があるから外に出づらい」という感覚がプラスに働いたようですが。

ヤマザキ 確かに日本では、感染と犯罪は紙一重みたいな風潮がどことなくありますから、それが感染者数の抑制に無関係だったとは思えないですね。

今回、自粛要請しているのに営業を続けているパチンコ店は名前を公表するという話があったじゃないですか。それをイタリア人に言ったらみんな大ウケしていました。彼らからすると、名前を明かされるということが社会的制裁として働くということがまったく理解できない。

山口 そうですね。だから日本では恥ずかしい思いをさせることがペナルティーとして働いている。

ヤマザキ イタリアでも、外出禁止令についてもカトリックの慈愛や利他性という理念がベースにはありますが「誰かを自分が感染させて殺してしまうかもしれない」という恐れで外出を自粛する。

でもそれは世間の目が怖いからではなく、罪を犯してしまうことへの恐怖心なんです。普段、人の言うことを聞かない、まったく統制のできないイタリア人が外出制限を守れたのは、罰則もありましたが、やはり彼らが子どものときから培ってきたカトリックの倫理観がベースにあったからだと思います。政府のリーダーであるコンテ首相も、「国民の命を守るために」ということを第一に訴えていましたから。

宗教的拘束がなかった古代ローマの社会

山口　イタリアでも古代ローマ時代にはギリシャの神々が信仰されていて、キリスト教の倫理観とは異なるものを持っていたわけですよね。

ヤマザキ　ローマ時代といまのイタリアはまったく違いますから、同じイタリア半島に暮らす人間だからと一緒にしてはいけません。『テルマエ・ロマエ』の映画では俳優陣が全員日本人でしたが、私としてはイタリア人でなくてよかったと思っています。イタリア人だと、やはりキリスト教的なモラルが演技の邪魔をしてしまう可能性がありますから。

固有の宗教に対する信仰がなかった古代ローマには、ギリシャの神話を基軸にしたローマ神話が国民の生活に浸透していました。ギリシャ神話にはキリスト教的な厳格な倫理規範がありません。神の法のような拠り所もないし、そもそも神たちの荒唐無稽な物語は人間が生き方の規範を求めるような次元のものではない。最終的に人々が信用するようになっていくのは、人間が状況に応じて自然に生み出していくルール、法律なのです。その点はすごくいまの日本と似ていると思います。

古代ローマと日本の共通点として私が聞かれるのはお風呂のことばかりですが(笑)、じつはそのような「宗教的拘束がない社会」「世間が戒律をつくる」という点が大きいのです。古代ローマの人々は、大きな国土を保有し、経済が回り、国威が保たれていることが重要で、命は二の次という姿勢がはっきりしていました。だからあれだけの大国になれたと言えるのかもしれません。

山口　イタリアへ行くと、いまでも「SPQR（ローマの元老院および市民）」という古代ローマを象徴する文字があちこちに刻まれて受け継がれていますが、精神性は異なるのですね。

臨機応変に対応することを学ぶ

山口　古代ローマ同様に宗教的拘束のない日本では、先ほども言ったように世間が倫理基準となっていて、「人に迷惑をかけない」ということが最も重要な行動規範の一つになっています。

ところで、この「迷惑」という言葉は適切に英訳することがものすごく難しくて、一体、迷惑というのは何なのか、考えてしまうことがあります。例えば、最近よく問題になっている保育施設などの子どもの声。これを元気で微笑ましいと受け取る人もいれば、騒音だと受け取る人もいるわけですね。そう考えると、迷惑というのは受けるほうの捉え方の問題なのではないかとも思えます。

ヤマザキ　寛容性の問題だと思います。迷惑をかけないという他者を慮る気持ちを持つことは必要ですが、現代の日本人は、迷惑をかけられることに対して不寛容になっているのではないかと感じます。

今回のパンデミックのように行動が制限されるようなことが起きたとき、普段から多様なものを受け入れて寛容性や臨機応変性を培っている人々は、「まぁこういうこともあるよね」と冷静に向き合える可能性が高い。物事は思い通りにならないとわかっていれば、もっと楽に受け入れられる。ところが、異質なものや自分の気に入らないものを排除することに懸命になりすぎると、生きにくくなるだけでなく、危機への対応力も下がると思うのです。

現在、アフターコロナのニューノーマル（新常態）とか、仕事や生活の変化に対して不安を感じている人も増えているようですが、古代ローマでは次から次へと新しい属州が増えていき、異なる民族や宗教の人々が次々にローマに流れ込んで渾然一体となる、混沌とした状況が続いていました。そのような世界では、

「普通」とか「常識」というものが通用しません。

同じことは旧植民地の人々や紛争や飢餓地帯からの移民がどんどん入ってきている現在の欧州でも起こっていて、彼らは子どもの頃からいろいろな背景を抱えた人種のクラスメイトとともに、多様な文化や考え方を受け入れていくようになる。差別がないわけではありません、でも自分とは違う彼らを理解しようとする人も圧倒的に多い。

ポルトガルに住んでいたとき、家は西洋のつくりですが、私たち家族は靴を脱いで家に上がることにしていました。すると、子どもの学校の友達がわが家に遊びに来たとき、玄関に並んだ靴を見て、全員何も言わなくても靴を脱いで上がるんですね。「どうもここでは靴を脱がなきゃいけないらしいね」と察して対応するわけです。

異質を社会組織の危険分子と捉える日本のメンタルは、海に囲まれ移動の可能性を育まない島国という土壌によっても象られたものかもしれませんが、世界とつながってしまったいま、地球レベルでの物事の対処を迫られた場合、寛容性と臨機応変性をなくして守りにばかり入っていると、すごく危険な場面も出てくるのではないかと思います。

専門家以外の意見を聞かないのは思考停止

山口 ローマ帝国のユニークなところは、シビライズ（文明化）するけれどカルチャー（文化）は残す、征服した地域の土着の宗教や文化を全部受け入れる戦略をとったことですよね。

ヤマザキ そうです。「Clementia（寛容）」が帝政ローマの一貫したテーゼでした。帝国のテリトリーを増やすときには、「君たちの文化を壊さないし、信じている宗教をやめろとも言わない。ただローマという文明を新しく受け入れて、舗装道路を敷き、古代ローマの神殿を建ててもらいたい」という姿勢で臨むのです。ローマが提供した文化で属州民に喜ばれたものの代表例が浴場ですね。そういった姿勢が巨大帝国を形成できた要因の一つだったのだと思います。「寛容性」というのは、いろいろな意味で強力な武器になり得るのです。

山口 戦時中の日本の植民地政策はローマ帝国とは真逆の考え方で、日本語教育や創氏改名などの皇民化を推し進めましたよね。それが反発を招いた面もあると思います。

寛容性というのは多様性にも接続される概念で、いろんな考え方があるからこそ豊かになれるのだと言えます。しかしいまも日本では周りを見回すと、いろいろなところにいわゆる「ムラ社会」と呼ばれる構造があって、これが大きな閉塞感を生む要因になっています。

ヤマザキ そうですね。イタリアでは、新型コロナウイルスの感染が増え始めた二〇二〇年三月末に、政府が発表している死者数よりも新聞のお悔やみ欄に載っている死者数が明らかに多いことに気づいた新聞記者が、地域のすべての死因を調べて分析し、高齢の感染者の多くが治療を受けられずに自宅で亡くなっていた実態を明らかにしました。新聞記者という、感染症の専門家ではない人がそういうことをして、しかもその意見に耳を傾けることができるというのはイタリアらしいと感じます。

日本だと、例えば私のような人間が新型コロナウイルスについて何か言うと、「この人は専門家じゃないのに、何をわかったように発言しているんだ」と言われるわけです。確かに専門家は専門分野のことについては詳しいと思いますが、私は三五年も前からイタリアなどさまざまな国に暮らしてきているし、山口さんだってそうですが、いろいろな国を見てきた人間だからこそ言えることってありますよね。それと、専門家とは違う目線からでないと、気がつけないこともたくさんあると思うわけです。なのに「この人は職種が違う」と狭窄的な視野でシャットダウンするのは思考停止の状態で、多様性や意表を受け入れないムラ社会的な価値観の表れなのかとも感じます。

重視すべきは「誰が言ったか」ではなく「何を言ったか」

山口 トマス・ア・ケンピスという中世の思想家は、著作の『キリストに倣いて』の中で、「誰がそう言ったかを尋ねないで、言われていることは何か、それに心を用いなさい」と書いています。私はこの言葉がとても好きなのですが、日本人は「誰が言っているのか」を気にする人が多いですよね。偉い人なのか、専門家なのか。そうではない場合、内容を吟味する以前に聞く耳を持たないところがある。これはおっしゃるように思考停止、その意見について自分で考え、判断することを放棄している状態です。

ヤマザキ 他者の意見に飲み込まれず、自分の頭で考えるためには教養や知識が必要ですし、そうやってたどり着いた自分の意見を提示するためには、今度は勇気が必要になる。それが面倒だからと自分の頭で考えるということをやめてしまえば、多様性も寛容性も失われていくと思うのですが、そもそも日本ではそういう個々の主張は重要視されない教育になっていますよね。そうしないとうまく社会がまとまらないからなのかもしれませんけれど。

山口 企業でも、「他責の風土をなくそう」といったことがよく言われますが、自分の考えや意思を示すことは、最終的に自分で責任を取ることになりますから、おっしゃるように勇気がいります。日本人がそうしたことを苦手とする原因は、教育によるものなのか、生来の資質なのか、私にもよくわかりません。ただ、みんなと違う意見、立場を示すことが、かなり精神的な強さを必要とするのは確かですよね。

ヤマザキ その精神力を、欧米では子どもの頃から授業でディスカッションを行なって鍛えていくわけです。試験も口頭試問ですし。自分の考えを言葉にする訓練が、家庭や学校での教育の中に根付いているかどうかで、発言に責任を持つことに対しての恐怖心の大きさも違ってきます。このようにおのおのの考えを人前で言語化するスキルや自らの発言の責任を持つ勇気が、西洋における民主主義を成している と思うのですが、空気を読まねばならなかったり、特異な考えが推奨されない日本という土壌での民主主義とは同質ではないということを、今回の感染症の政府の対処や人々の反応を見ていて感じました。

イタリア人は人を信じない

山口 ドイツの哲学者ユルゲン・ハーバーマスが『公共性の構造転換』の中で、「公共性」が民主主義を発展させたけれど、その構造が変質して大衆化し、政治もそれに迎合するものとなっていったと指摘しています。

「公共」を意味する「public」の対義語は「private（私的）」ですが、private と「deprived（奪われた）」は語源が同じなんですね。公民としての権利や責任を奪われた状態が private ということです。本来、公民として政治に参加するには責任を伴うわけです。そのためには教養や思考力がなければならない。でも、近代以降は公民としての権利だけを持ち続けて思考しない大衆とともに、私的な利害と妥協によって政治が動くようになっていった。だから公共性というもののさらなる転換が必要であるというのが彼の考えです。

ヤマザキ いろいろな人がいろいろな考えを持つほど統制が利きにくくなるのも事実で、そこに民主主義の齟齬が生じ、共感できる、あるいは弁の立つリーダーのところに人が集まっていく。それが人間にとっては楽なあり方かもしれません。考えてみれば民主政治が生まれたのは約二五〇〇年も前、古代ギリシャのペリクレスの時代なのに、いまだにうまく機能させることができないというのは、人間にとってそれだけこの政治形態のハードルが高いということなのかもしれません。

山口 ただ、リーダーの言葉を無批判に信じるのか、自分で考えて受け入れるかには違いがあると思います。

ヤマザキ そうですね。イタリア人って、親切で優しくて誰でも両手を広げて迎え入れてくれる人たちだと思われがちですが、実際にイタリアに住んでみると、イタリア人ほど人を疑う民族はこの世にいないと感じます。ものすごく猜疑心が強い。だからこそ、自分が「信じる」ということに対する責任感も強いのです。紀元前から権力や国威をめぐっての争いが絶えず、領地を奪われたり奪ったり、支配者や政体が目まぐるしく変わったり、とにかく人間の歴史は裏切りによってつくられてきたと思っているところもあるので、政治家だって信頼していません。

「信頼する」って美しいことのように聞こえますが、何も考えずに誰かを信じるのは責任を丸投げする、という意味でもある。「この人はこうに違いない」「こうしてくれるはず」と思い込んで、そうならないと「裏切られた」と怒るのは簡単なことです。裏切った相手に責任を転嫁すればいいわけですから。

他人を信じる危険を回避したのであれば、自分の頭で物事を考えるしかありません。どんな些細なことにもとりあえず疑念を発動させ、それについて得た考えに自分で責任を持つことが、社会の成熟を促すのだと思います。

人間性を取り戻すきっかけに

山口　コロナ禍で家にこもる時間が増えたことで、思考する時間も増えたと前向きに捉えたいですね。

ヤマザキ　冒頭で言ったようにパンデミックは、善い悪いは別として社会変革のきっかけになっていますものね。歴史的なパンデミックの中でも大きなものの一つが、紀元一六五年頃に起きた「アントニヌス・パンデミック」です。天然痘の流行であったと考えられていますが、それがキリスト教の拡大と五賢帝時代の終焉を招き、ローマ帝国の衰退につながったと見られています。

その後もいくつかの大きなパンデミックを経て、中世の暗黒時代が訪れ、そこから人間を解放するルネサンスが起きました。もともと彼らの文化の根幹を成すギリシャ・ローマ時代の精神を再生し、人間性を取り戻そうという動きが一三〇〇年代のペストの大流行の後、大きく花開いたわけですよね。人口の半数から六割が死滅したと言われる絶望的な疫病のもたらした危機が、メンタル内の保守的で余剰なレイヤーをこそぎ落としたことで、斬新な表現に対するエネルギーが生み出されたのではないかとも考えられます。

山口　私はたまたま三年ほど前に出した『世界のエリートはなぜ「美意識」を鍛えるのか？』のあとがきで、ルネサンスがもう一回来るといいなということを書きました。その頃には予想もしていなかったコロナ禍ですが、二〇世紀の経済発展の中で置き去りにされてきた人間性というものを、取り戻すきっかけになるかもしれないという期待もあります。

ヤマザキ　今回のパンデミックが、暗黒時代への入り口になるのか、それともルネサンスがもう一度起きる光明となるのか、私たちはいまその岐路に立たされているとも言えるでしょう。ルネサンスのようなことは意図的に起こせるものではなく、自然発生的な意識改革の動きが必要ですが、パンデミックという大きな打撃が、そのきっかけになるかもしれない。災厄を奇貨とするためにはどうあるべきか。それには、どこかの誰かが気の利いたことを言ってくれたり行動をとってくれたりするのをぼんやり待っているのではなく、まず何より自分たちの頭で考えることを大切にしなければと、改めて思います。

リベラルアーツとは「目の前の常識を相対化するための思考技術である」という指摘は本書の随所で指摘してきました。そして、そのような「相対化する視点」を持つためには「人と話す」「旅に出る」「本を読む」の三つが重要だ、というのがAPU学長の出口治明先生のお話でした。この三つのうち、じつは「人と話す」と「本を読む」のと異なり「旅に出る」という営みだけが持っている特徴があるのですが、なんだかわかりますか？　それは「一次情報に触れる」ということです。一次情報というのは、人の手を経由していない、ナマの情報ということです。どんなにユニークな思考力、着眼点を持とうと思って勉強しても、インプットされる情報がすべて二次情報であれば、なかなか人と異なる着想を持つことはできません。ところが、インプットされる情報がすでに人と異なるものであれば、ユニークな着想を持つことも相対的に容易になります。

ヤマザキマリさんとお話をさせていただくと常に感じるのが、長らく海外で過ごされた人に特有の「日本の常識を相対化する視点」の豊富さです。ヤマザキさんは一〇代でイタリアに渡り、以後はイタリアに軸足を置きながら世界をまたにかけて生活をしておられます。人生そのものが旅に彩られているようなもので、芭蕉の言葉ではありませんが、まさに「旅をすみかとする」ライフスタイルなのです。

以前、早稲田大学の入山章栄先生とお話をさせていただいた際、先生は「創造性は人生における累積の移動距離に相関する」とおっしゃられていました。その言葉を今回、ヤマザキマリさんとお話をさせていただいた際に改めて思い出しました。これまでにも述べた通り、「リベラルアーツ」とは自分を縛る固定観念や無意識的な規範から自由になるための思考技術を指しています。これは密接に、自分がいまいる場所、時間における常識を相対化できるかという論点と関わっています。累積の移動距離が長いということは「いま、ここ」という場所以外の場所をたくさん知っているということです。だからこそ「いま、ここ」でしか通用しない常識や規範から自由になれるのです。出口治明さんが学びの契機として「旅」を挙げておられるのも基本的に同じ考えによるのでしょう。

ここで「移動」と「知性」の関係について考えるにあたり、思い浮かぶのがモーツァルトです。「天才」の代名詞としてよく名の挙がる作曲家ですが、モーツァルトの創造性を単に「天才だったから」で整理してしまっては後世に生きる私たちにとっての学びはありません。実際には、モーツァルトの創造性は「生まれ持っての才能」と「生まれた後の環境」によって育まれたと考えるべきです。確率論で考えれば、モーツァルトと同様の才能を持って生まれた人物はかつて数え切れないほどいたはずですが、彼ほど恵まれた環境にあった人物は一人もいなかった。それがモーツァルトという人物を孤高の存在にしているというべきで、つまりは「環境の産物だ」と考えたほうが良いということです。ではどのような環境要因がモーツァルトの才能を伸ばしたのか。

モーツァルトの生涯を俯瞰して改めて感じられるのが、その「旅」の多さです。モーツァルトは三六歳で没していますが、旅の期間を合計してみるとその累計は一〇年強となります。つまり、人生のほぼ三分の一は旅の途上にあったということです。これはモーツァルトの創造性に決定的な影響を与えたと、私は思っています。というのも「旅」と「創造性」には極めて強い関係があるからです。

建築家の安藤忠雄氏は、まだ建築家としてデビューする前にヨーロッパの名建築を巡るツアーを敢行して、その後の建築の糧となる感性を磨いており、その後もことあるごとに「旅に出ろ」と叱咤しています。あるいは幕末の吉田松陰もまた、「旅」を学びの場として考え、書物による勉強は一定の年限で止めてしまい、その後はことごとく「人に会って人から学ぶ」ということを徹底した人物でした。

モーツァルト自身もこのことをよく理解していたのでしょう。モーツァルトは膨大な量の手紙を残していますが、この手紙を読み直してみると、彼が、ことあるごとに「旅に出たい」と訴えていたことがわかります。モーツァルトに音楽を仕込んだ教育パパのレオポルドはザルツブルクの司教のご機嫌を伺うために、できる限り長いあいだザルツブルクに留まるように、と息子のモーツァルトを諭しますが、モーツァルトはこの父に対して「自分の音楽的才能は、旅に出てさまざまな新しい音楽に触れることによってこそ花ひらくのに、ザルツブルクに閉じ込められていたら、このまましおれてしまう」と手紙で訴えています。

考えてみれば、欧州の上流階級の子弟の教育では、しばしば最終段階の仕上げとしてグランドツアーと呼ばれる大旅行が行なわれました。哲学者のトマス・ホッブズも家庭教師としてグランドツアーに同行していますし、あのアダム・スミスも「一生分の年金」を報酬として有名貴族の子弟が赴く一年のグランドツアーに同行しています。これは、言うなれば「人と話す」の一・五次情報と「本を読む」の二次情報で得た知識を、実地に赴いて一次情報とつなぎ合わせて考えるということをやっているわけです。だからこそ、教育の最終仕上げに「旅」というステップが置かれているわけです。

そしていま、新型コロナウイルスの影響で、世界から「旅」が失われています。厳密な統計はわかりませんが、近代が始まって以来、おそらく最も「旅」が少なかったのが二〇二〇年だったのではないでしょうか？　このまま、旅が厳しく制限される世界が続けば、私たちは「自由に考えるための思考の翼」を失い、ますます狭量で、不寛容で、共感する力を持たない社会を生み出していくことになります。そのような世界にあって、どのようにして私たちの知性を守り、育んでいくか。これは私たちに投げかけられた大きな問いです。

終章

「武器」としてのリベラルアーツ

終章として、このような時代を生きている私たちにとって、リベラルアーツを学ぶことの意味合いを、改めて述べたいと思います。

ここで結論を先に述べてしまえば、その理由は、

現代をしたたかに生きていこうとするのであれば、リベラルアーツほど強力な武器はない。何らかの形で組織やシステムに関わる立場にある人であれば、リベラルアーツを学ぶことは、おそらく人生において最も費用対効果の高い投資になるであろう。

ということになるかと思います。以下に、右の論拠について筆者の考えを述べたいと思います。

「ソーシャルイノベーションを起こす武器」としてのリベラルアーツ

まず読者の皆さんに一つ質問をしてみたいと思います。その質問とは「金利はなぜプラスなのか？」というものです。おそらく多くの人の答えは「お金の借り手は、貸し手が失った機会分の費用を負担しなければならない」というものでしょう。確かに、現代を生き

る私たちにとって「金利はプラスである」ということは常識となっています。しかし、調べてみればすぐに、これが現代にしか通用しない常識だということがわかります。

例えば、中世ヨーロッパや古代エジプトではマイナス金利の経済システムが採用されていました。マイナス金利ということはつまり、銀行にお金を預けるとどんどん価値が目減りしてしまう、ということです。こういう社会では現金を持ち続けていることは損になる、ということで、当然のことながら、現金は入ってくると同時になるべく他のものと交換しようという誘因が働くことになります。

では、どのようなものと換えるのが良いでしょうか。食べ物？　いや、食べ物は難しい。一度に食べられる量には限りがありますし、残った食べ物は保存が必要になるわけですが、当時は冷蔵庫もない時代で保存できる量には自ずと限りがあります。ではモノにするか？　モノなら何がいいだろうか？　こうやって考えていくと、やがて誰もが同じ結論に至ることになります。そう、長いこと富を生み出す施設やインフラにお金を使おうという結論です。このような思考によって進められたのがナイル川の灌漑事業であり、中世ヨーロッパでの大聖堂の建築でした。この投資が、前者は肥沃なナイル川一帯の耕作につながってエジプト文明の発展を支え、後者は世界中からの巡礼者をあつめて欧州全体の経済活性化や道路インフラの整備につながっていったのです。

リベラルアーツを、社会人として身につけるべき教養、といった薄っぺらいニュアンスで捉えている人がいますが、これはとてももったいないことです。本書で再三にわたって指摘してきた通り、リベラルアーツのリベラルとは自由という意味であり、アート（アーツ）とは技術のことです。改めて確認すれば「リベラルアーツ」とは「自由になるための技術」ということなのです。

では、ここで言う自由とは何のことでしょうか？　もともとの語源は新約聖書のヨハネ福音書の第八章三一節にあるイエスの言葉、「真理はあなたたちを自由にする」から来ています。

「真理」とは読んで字のごとく、「真の理（＝ことわり）」です。時間を経ても、場所が変わっても変わらない、普遍的で永続的な理（＝ことわり）が「真理」であり、それを知ることによって人々は、その時、その場所だけで支配的な物事を見る枠組みから、自由になれる、と言っているのです。その時、その場所だけで支配的な物事を見る枠組み、それは例えば「金利はプラスである」という思い込みです。つまり、目の前の世界において常識として通用して誰もが疑問を感じることなく信じ切っている前提や枠組みを、一度引いた立場で相対化してみる、つまり「問う」ための技術がリベラルアーツの真髄ということになります。
これがなぜ社会を生き抜くための功利的な武器となりうるのでしょうか？　答えは「なぜならイノベーションには〝相対化〟が不可欠だから」ということになります。過去のイノベーションを並べてみると、そこに何らかの形で、それまでに当たり前だと思っていた前提や枠組みが取り払われて成り立っていることに気づきます。

パソコンの販売では店頭シェアがカギだ、という前提が支配する中で、その前提にこだわって破綻したコンパックと、その前提から離れてダイレクト販売というモデルを確立して業界を支配したデル。

モノをいちばん速く運ぶのは最短経路だ、という前提が支配する中で、その前提にこだわって消えていった多くの零細運送事業者と、ハブ&スポークという物流システムを確立して成長したフェデックス。

パソコンには入力機器と記録媒体が必要だ、という前提にこだわって価格競争の泥沼で苦しんでいる多くのＰＣメーカーと、その前提から離れて iPad を開発したアップル。

イノベーションというのは常に「それまでは当たり前だと思っていたことが、ある瞬間から当たり前ではなくなる」という側面を含んでいます。つまりイノベーターには「当たり前」を疑うスキルが必要なのです。ハーバード・ビジネス・スクールのクレイトン・クリステンセンは、著書『イノベーションのＤＮＡ』の中で、イノベーターに共通する特徴として、誰もが当たり前だと思っていることについて「Ｗｈｙ？」を投げかけることができる、という点を挙げています。

確かに、数多くのイノベーションを主導したアップルの創業者スティーブ・ジョブズは、いつもこの「Ｗｈｙ？」という疑問を周囲のスタッフに投げかけていたことで知られています。その彼が、常々アップルを、テクノロジーとリベラルアーツの交差点に位置する会社にしたい、と語っていたのは偶然ではありません。リベラルアーツというのは相対化の技術であり、相対化することによって初めて人は、誰もが常識だと思っている世界のありようについて、なぜそうなのか？　なぜ他のやり方ではないのか？　という問いを持てるのです。

しかし一方で、すべての「当たり前」を疑っていたら日常生活は成り立ちません。どうして朝になると自然に目が醒めるのだろう、どうして人間は昼間に働き、夜に休むようになったのだろう……。いちいちこんなことを考えていたら哲学者にはなれるかもしれませんが、個人としては破綻してしまうでしょう。ここに、よく言われる「常識を疑え」という陳腐なメッセージのアサハカさがあります。常識を疑うのはじつはとてもコストがかかるのです。一方で、イノベーションを駆動するには「常識への疑問」がどうしても必要になります。このパラドックスがなかなか解けないからこそイノベーションは難しいのです。

結論から言えば、このパラドックスを解くカギは一つしかありません。つまり、重要なのは、よく言われるような「常識を疑う」という態度を身につけることではなく、「見送っていい常識」と「疑うべき常識」を見極める選球眼を持つということなのです。そしてこの選球眼を与えてくれるのがまさにリベラルアーツなのです。リベラルアーツというレンズを通して目の前の世界を眺めることで、世界を相対化し、普遍性がより低いところを浮き上がらせる。スティーブ・ジョブズは、カリグラフィーの美しさを知っていたからこそ「なぜ、コンピューターフォントはこんなにも醜いのか？」という問いを持つことができたのですし、チェ・ゲバラはプラトンが示す理想国家を知っていたからこそ「なぜキューバの状況はこんなにも悲惨なのか」という問いを持つことができたのです。

リベラルアーツのレンズなし

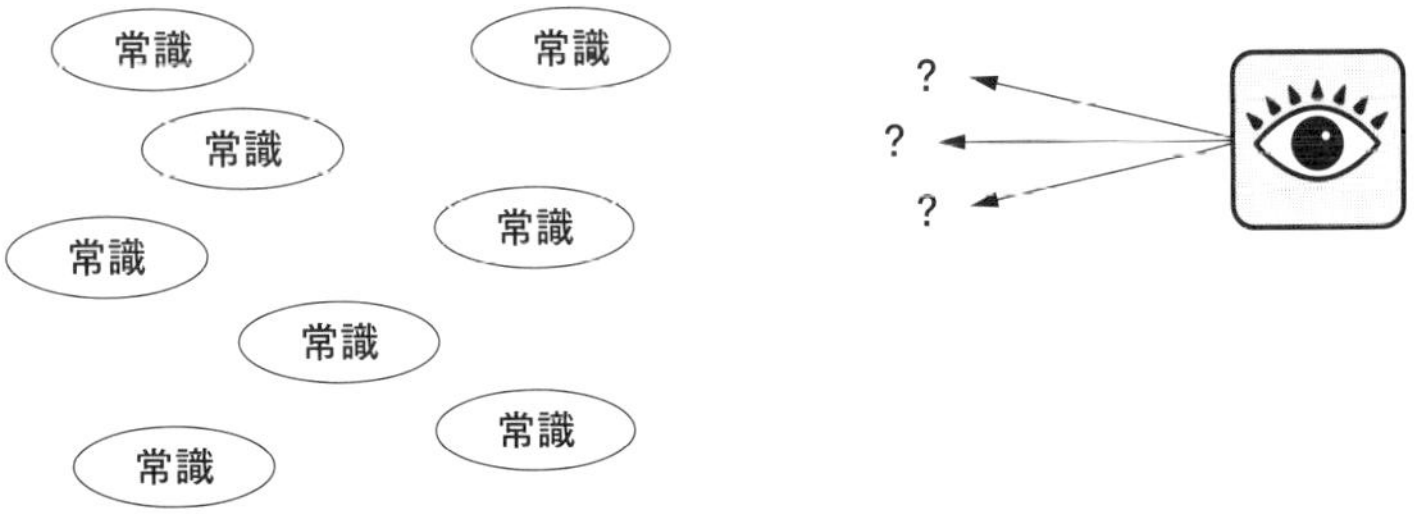

- 「常識を疑え」と言われるが、すべての常識を疑っていたら日常生活も仕事も破綻してしまう
- 「見送っていい常識」と「疑うべき常識」を見極めることができず、常識にしばられた発想しかできなくなる

リベラルアーツのレンズあり

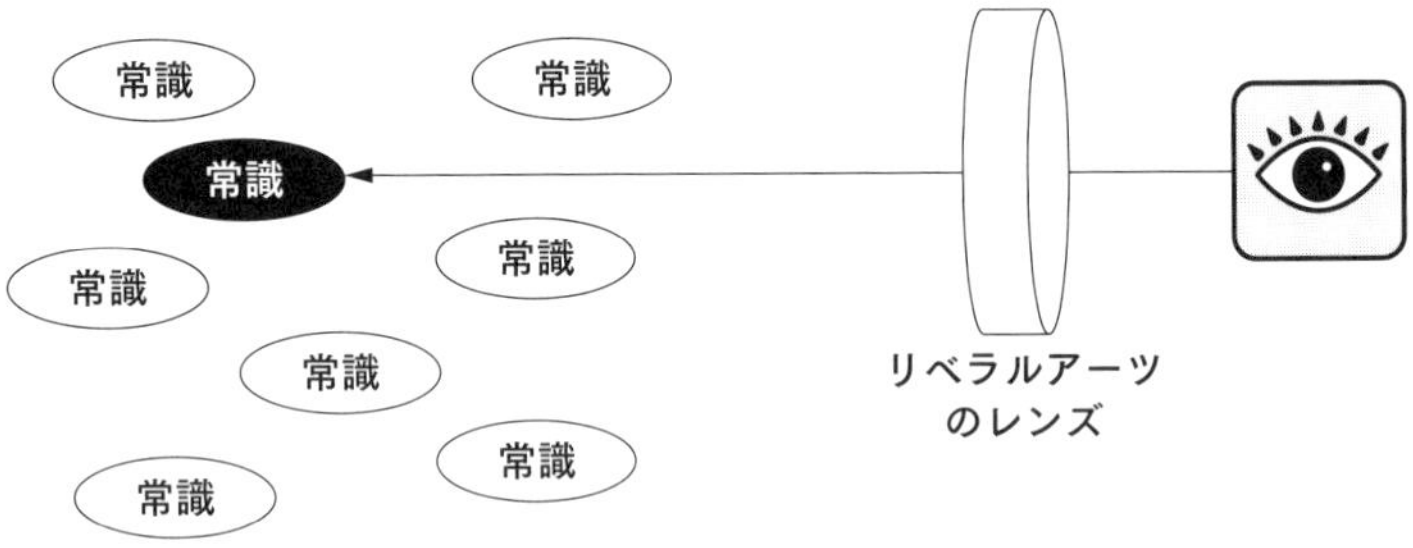

- リベラルアーツを知ることで、「いま、ここ」だけで通用している常識がどれなのかを知ることができる
- 「見送っていい常識」と「疑うべき常識」を選別することができ、それがイノベーションの機会につながる

リベラルアーツは「疑うべき常識」を見抜くためのレンズになる

目の前の世界を、「そういうものだ」と受け止めてあきらめるのではなく、比較相対化する。そうすることで浮かび上がってくる「普遍性のなさ」にこそ疑うべき常識があり、リベラルアーツはそれを見るレンズとしてもっともシャープな解像度を持っているのです。

「キャリアを守る武器」としてのリベラルアーツ

いまこの瞬間の世界のありようを前提にして、その中でいかに功利的に動くか、という問題意識に、現代人の多くは囚われすぎているように思えます。世界のありようについて、その是非を問わず、「そういうものだ」と割り切って自分を変えるというアプローチを、特にエリートと呼ばれる人は取りがちです。そのようなアプローチの末に、めでたく高額の収入と他者からの尊敬を同時に勝ち取る人が多いのも確かです。そして、そういう「勝ち組」と言われる人を見て、彼らがしたのと同じような努力を積み重ねようとする他者が次から次へと現れ、そのような人々をカモにしようとする書籍やコンテンツが書店のビジネス書コーナーに溢れています。

しかし気をつけなければなりません。世界のありようは常に変化しており、昨日うまくいった勝ちパターンは一瞬で無効化されます。かつての世界においてうまくいった闘い方が、ある日突然まったく通用しなくなってしまうということがいつ起こるかもしれないのです。

近年での典型事例はリーマンショックでしょう。二〇〇〇年代、多くのビジネススクール卒業生は投資銀行の門をたたき、「バラ色の人生＝La Vie en Rose」ともいうべき華々しいキャリアを築こうとしました。しかし祝宴は唐突に終わりを告げ、世界のありようは変化してしまいました。変化する前の、いわば「旧世界のありよう」に最適化すべくスキルと知識を積み重ねてきた多くの人は、いわば「世界に裏切られ」て、野に放り出されてしまったのです。投資銀行というのは極めて特殊な職場で、求められるノウハウやスキルの普遍性は高くありません。彼らの多くは、放り出された荒野から、ふたたび人生を歩み始めるために、異なるスキルやノウハウを身につけることを強いられていますが、これはじつに過酷なことです。

リーマンショックによって職にあぶれた投資銀行マンはほんの一例に過ぎません。世界というものは気まぐれに人を裏切るのです。だからこそ、我々は、七転八倒しながらも取っ組み合いをしている世界に振り回されないための、いわば「知的な足腰」を養わなければなりません。世界のありように目を向けて自分のキャリアや立ち居振る舞いを設計する

リベラルアーツの足腰なし

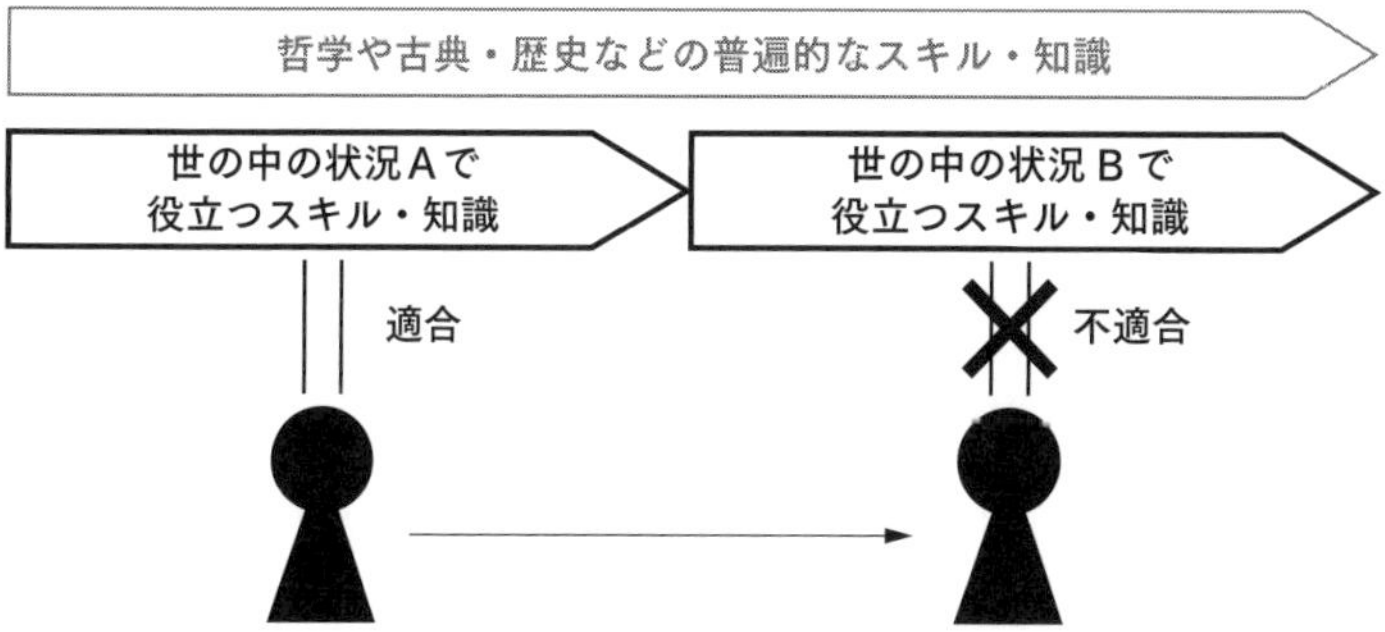

- 目の前の世の中の状況に合わせてスキルや知識を最適化
- 世の中の状況が変化した際に、それらのスキルや知識が一気に陳腐化

リベラルアーツの足腰あり

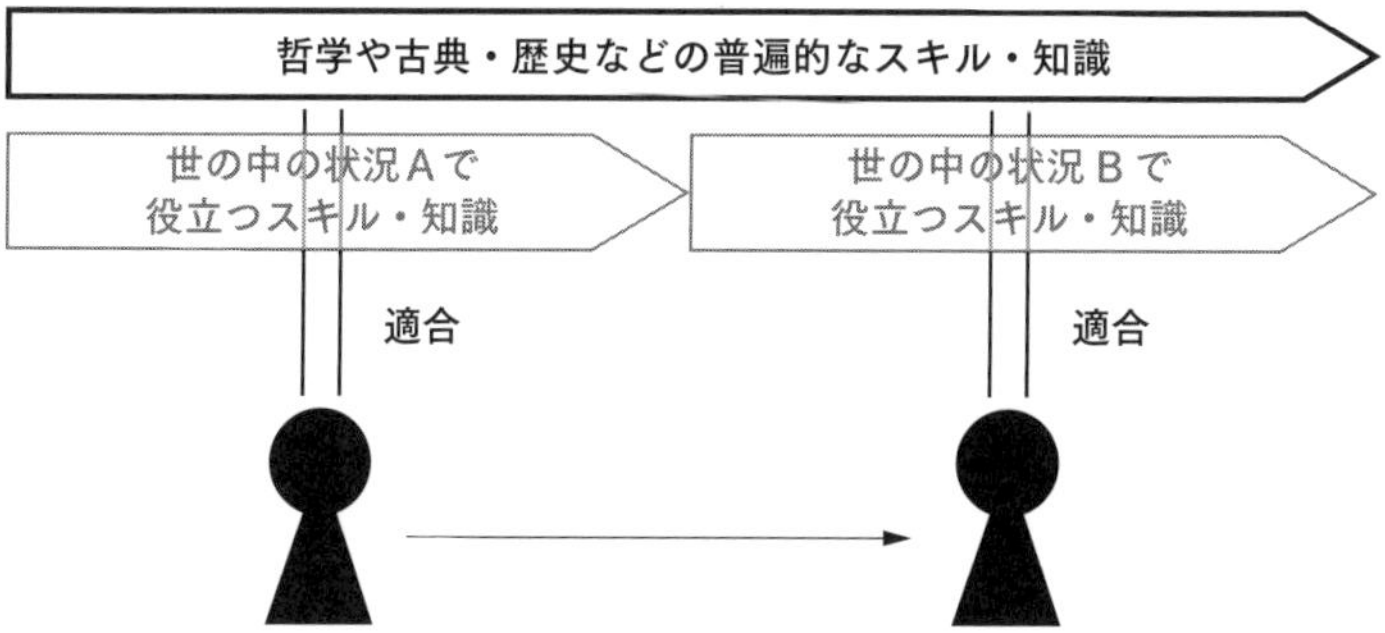

- 目の前の世の中は横目で見つつ、古典や普遍的なスキルや知識を蓄積
- 時を経るごとに知識が積み重なり、「したたかに生きる」ための足腰が強くなる

リベラルアーツは「したたかに生きる」ための足腰になる

のではなく、世界のありようについて一応は適応しつつも、それを相対化しながらしたたかに立ち回って変革の機会を待つための「知的な足腰」が必要なのです。そして、そのような「知的基礎筋力」はリベラルアーツを学ぶことでしか身につけることができないと筆者は考えています。

「コミュニケーションの武器」としてのリベラルアーツ

新型コロナウイルスによる「仮想空間シフト」が進んだことによって、物理的な場所の制約がどんどん解除されています。これはつまり、国境をまたいでいろんな国の人々と仕事をするためのインフラがどんどん整備されている、ということなのですが、一方で、このようなインフラを使いこなすための「人間側の整備」はなかなか進んでいません。私は、このような世界において異なるバックグラウンドや価値観を持っている人と正確かつ効率的に協働＝コワークするためには三つの素養が必須となると考えています。

その三つとは英語、論理、リベラルアーツです。英語と論理については説明の必要はないでしょうが、リベラルアーツについては疑問に思われる向きもあるかもしれません。しかし私は、ごく個人的な体験から、リベラルアーツがコミュニケーションを円滑にするための武器になると感じています。
典型的な例として私の体験を共有しましょう。数年前のことですが、私が欧州での組織改革プロジェクトに参加した際に、クライアント企業の状況についてロンドンの同僚とクライアントのキーマンが以下のようなやりとりをしていました。

同僚コンサルタント：彼はどういうタイプのリーダーですか？
クライアント：彼かい？　リア王だね
同僚コンサルタント：なるほど。ではエドマンドは？
クライアント：S氏だ
同僚コンサルタント：やっぱりそうですか……ではコーディリアは？
クライアント：去年までいたN氏がそうだが、S氏に放逐された
同僚コンサルタント：ああ、では我々がコーディリアの役割をする必要がありますね

この会話は言うまでもなく、ウィリアム・シェークスピアの戯曲『リア王』を前提にしています。この戯曲において、老王リアは、腹黒い娘二人の意図を見抜けずに寵愛して国

をゆずる一方で、真の愛からリアに苦言を呈する末娘コーディリアを疎んじて追放してしまいます。先の会話はその人間模様を例えとして用いたものですが、筋書きを知らない人にとってはまったく意味不明でしょう。この組織改革プロジェクトが、先の会話を元にしてどんどん進んでいってしまうということを考えれば、ここでクライアント組織の状況について深刻な理解不足が生じてしまうことがおわかりいただけると思います。これは語学力や論理的思考力の問題ではありません。単純に知的バックグラウンドの厚みの話であり、要するにリベラルアーツの問題なのです。先進国で高等教育を受けた人間であればシェークスピアの名作くらいは読んでいて当然だ、という前提で世界中のエリートは議論を組み立ててきます。

おそらく遠く東洋から参加している筆者を値踏みする、という意味もあったのでしょう。鼻持ちならないエリートのスノビズムだと感じる向きもあるかもしれませんが、しかしこれは立場を変えてみればよくわかる話なのです。例えば、日本人であれば「あの二人の関係は、忠臣蔵の吉良上野介《きらこうずけのすけ》と浅野内匠頭《たくみのかみ》のようだ」と言えば、それだけで複雑な背景説明なしに状況の理解を共有することが可能です。この例え話をして「意味がわかりません」と言われれば、学歴や職歴がどんなに立派であっても「コイツ、そもそも人として大丈夫か?」と思われてしまうでしょう。こういった人間関係や情景を、いちいち嚙み砕いて説明していたら、それこそまどろっこしくてしようがありません。つまりリベラルアーツとはコミュニケーション効率を一気に高めるための一種の圧力鍋として機能するということでもあるのです。

つまり、グローバルなコミュニケーションが必要となる場で、「リア王」を知らないというのは、日本において仕事をする際に「忠臣蔵」の例えを出されてもわからない、というくらいのコミュニケーションロスになる、ということです。特に、聖書とシェークスピアを筆頭に、ドストエフスキーなどの世界文学は、それを読んでいるという前提で欧米のエリートはコミュニケーションをしてきます。一種のリトマス試験紙のようなもので、彼らとしては、ここでプロトコルが共有できないようであれば人間として信用しない、少なくとも自分と同じクラスの人間、仲間とは認めないということです。

「領域横断の武器」としてのリベラルアーツ

リベラルアーツはまた、専門領域の分断化がすすむ現代社会の中で、それらの領域をつないで全体性を回復させるための武器ともなります。

テクノロジーはどうしても必然的に専門化を要請します。［中略］もし教養という概念を科学知識の専門化《スペシャリゼーション》というものと対立的に考えれば、勝負は見えていると思う。それは教養の側の敗北でしかない。しかし教養というものは、専門領域の間を動くときに、つまり境界をクロスオーバーするときに、自由で柔軟な運動、精神の運動を可能にします。専門化が進めば進むほど、専門の境界を越えて動くことのできる精神の能力が大事になってくる。その能力を与える唯一のものが、教養なのです。だからこそ科学的な知識と技術・教育が進めば進むほど、教養が必要になってくるわけです。

（加藤周一「教養に何ができるか」『教養の再生のために』（影書房、二〇〇五年）より）

「専門領域を自由に横断するためには教養＝リベラルアーツが必要だ」という加藤周一のこの指摘が、そのままリーダーにとって要件であることに注意してください。領域の専門家で居続ければリーダーになることはできません。リーダーの仕事は、異なる専門領域の間を行き来し、それらの領域の中でヤドカリのように閉じこもっている領域専門家を共通の目的のために駆動させることにあります。この点はすでに本書の第1章において中西輝政先生が指摘した点とも重なります。

仕事の場において、「自分はその道の専門家ではない」という引け目から、「何か変だな」と思っているにもかかわらず領域専門家に口出しすることを躊躇してしまうということは誰にでもあるでしょう。

しかし、専門領域外について口出ししないという、このごく当たり前の遠慮が、世界全体の進歩を大きく阻害しているということを我々は決して忘れてはなりません。東海道新幹線を開発する際、鉄道エンジニアが長いこと解決できなかった車台振動の問題を解決したのは、その道のシロウトであった航空エンジニアでした。このとき「自分は専門家ではないから」と遠慮して、解決策のアイデアを提案していなかったらどうなっていたか。そしてまた、今日の世界において「自分は素人だから」という引け目から発言しないことで、どれほど多くの社会変革の契機が機会損失となっているか。

世界の進歩の多くは、領域外のシロウトによって提案されたアイデアによって実現されています。米国の科学史家でパラダイムシフトという言葉の生みの親になったトーマス・クーンはその著書『科学革命の構造』の中で、パラダイムシフトは多くの場合「その領域に入って日が浅いか、あるいはとても若いか」のどちらかの人物によってなされていると指摘しています。そして加藤周一の指摘する通り、領域を横断して、必ずしも該博な知識がない問題についても、全体性の観点に立って考えるべきことを考え、言うべきことを言うための武器としてリベラルアーツは必須のものと言えます。

「社会彫刻のための武器」としてのリベラルアーツ

二〇世紀後半に活躍したドイツの現代アーティスト、ヨーゼフ・ボイスは「社会彫刻」という概念を唱え、あらゆる人々は自らの創造性によって社会の問題を解決し、幸福の形成に寄与しなければならない、と提唱しました。

世の中には「アーティスト」という変わった人種と、「それ以外」の普通の人種がいる、というのが一般的な認識でしょう。しかし、その考え方は不健全だ、とボイスは言っているのです。

私たちの世界はすでに経済合理性の内部にある物質的問題をほぼ解決し終えた「高原の社会」に達しています。私は、二〇二〇年一二月に著した『ビジネスの未来』において、これまでに私たちが連綿とやってきた「市場の需要を探査し、製品やサービスを開発し、利益を出す」という営みがゲームとしては終了してしまったことをさまざまな統計指標から明らかにしました。

では、ビジネスゲームの終了した社会において、私たちは何をして生きていけば良いのでしょうか？

この問いに応えるためには、私たちは「そもそも人はどのように生きるべきか？」「良い『生』あるいは『社会』とはそもそもどのようなものか？」という問いに対して答えなければなりません。社会彫刻という言葉になぞらえて表現すれば、どのような社会をつくりたいのかという「作品の構想」を描くことが必要になるのです。このような問いに対して答えを出そうとすれば、そこには自ずとリベラルアーツが求められることになります。なぜなら、このような大きな問いに対して答えを出そうとすれば、いま現在私たちが依存しているシステムをいったんは相対化しなければならないわけですが、そのような相対化の技術こそ、まさにリベラルアーツが提供してくれるものだからです。

どうせ買うなら長持ちする武器

以上、終章において、ここまで主に五つの観点から、現代に生きるわれわれにとってのリベラルアーツの功利的な側面について述べてきました。中には納得し難いもの、違和感を覚えるものもあるでしょう。しかし、経営学をはじめとした世知辛い学問の多くがせいぜい数十年の歴史しか持たないのに対して、リベラルアーツはすでに数百年、科目によっては数千年という時間のヤスリにかけられて残っている「人間の叡智」なのだということを忘れてはなりません。

そしていま、私たちはおそらく数世紀に一度あるかないか、という大転換を生きています。このような時代にあって、したたかに、かつ自由に思考し、行動するためにもリベラルアーツは必須の素養と言えるでしょう。

自由《じゆう》になるための技術《ぎじゅつ》　リベラルアーツ

2021年3月 1 日 第1刷発行
2023年9月 8 日 第5刷発行

著　者　山口《やまぐち》 周《しゅう》

発行者　髙橋明男
発行所　株式会社講談社
東京都文京区音羽 2-12-21　〒112-8001
電話　編集 03-5395-3522
販売 03-5395-4415
業務 03-5395-3615

装幀者　コバヤシタケシ
印刷所　株式会社新藤慶昌堂
製本所　株式会社国宝社

KODANSHA

ISBN978-4-06-522268-3　　286p 19cm